이 세상을 살아가다 보면
중요해서 기억하는 것과
별로 중요하다고 생각하지 않아서
기억하지 못하는 것이 있잖아요.
나라는 사람을 기억했으면 하는
마음입니다.

_____ 님께

_____ 드림

잠깐만요!

많이 부족하겠지만, 열심히 집필한 작품입니다.
머리말을 지나치시더라도,
'작가의 말'은 꼭 좀 읽어주시길 부탁합니다.
제가 발전할 수 있는 비판은 달게 받겠습니다.
어떤 관심이라도 감사합니다.

저 자 **송민규**

우리가
알고 있는
당연한 이야기

저자 소개

송민규(宋旼奎)
한글날에 태어난 온화한 별.
글쓰기를 좋아하며 갈잖은 행복을 추구하는 순수청년(?)
사람들은 이 저자를 '미친놈' 또는 '또라이'로 부르지만,
정작 자신은 미치지 않았다고 굳게 믿고 있다.
그러나 이 작가는 희한하게도 미쳤다는 소리를 좋아한다.

SNS 주소
-http://facebook.com/mingyu0324
-https://twitter.com/mingyu0324
-https://www.instagram.com/mingyu0324

우리가 알고 있는 당연한 이야기

발   행 | 2016년 05월 18일
저   자 | 송민규
그   림 | 송민규
펴낸곳 | 주식회사 부크크
출판사등록 | 2014.07.15.(제2014-16호)
주   소 | 경기도 부천시 원미구 춘의동 202 춘의테크노파크2단지
          202동 1306호
전   화 | (070) 4085-7599
이메일 | info@bookk.co.kr

ISBN | 979-11-5811-264-6

www.bookk.co.kr

우리가
알고 있는
당연한 이야기

송민규 지음

차례

순서, 그 미묘.

저마다 세상을 살면서

인간의 상상력은 무한, 인간의 세상은 유한

진짜로 전하고 싶은 것은, 머리가 아닌 마음

이 책을 우리가 알고 있는 '당연한 이야기'를 잊고 사는 모든 분과 '단단한 투구'를 쓰신 분께 바칩니다.

저자는 당연한 이야기만큼 생각의 여지가 많은 이야기도 없다고 생각해요. 왜냐면 당연한 이야기를 들으면 대부분 생각하지 않잖아요. 예를 들어서 '착하게 살면 좋은 일이 많다.' 이런 말을 주위 사람들에게 해주면 '왜, 많을까?' 생각하지 않고 한결같은 대답이 들려오죠.

"그렇지."

하지만 한번 생각해봤으면 좋겠어요. 착하게 살면 정말 좋은 일이 많은지, 많다면 왜 많은지 말이죠.

혹시, 그런 생각을 굳이 할 필요가 있을까 하는 생각이 들었나요? 그렇다면 제가 호기심은 끌어냈네요.

당연하다고 생각되는 것들은 생각보다 많은 특별함을 품고 있어요. 예를 들어 '공부를 잘해야 인생을 편하게 살 수 있다.' 이런 당연한 이야기도 있죠. 자, 공부를 잘하는 친구를 보세요. 그의 인생이 편한가요? 공부를 잘해도 못해도 사실 인생은 누구에게나 고되지 않나요? 그런데 잘 생각해봐요. 만약 당신이 공부를 더 잘했다면 하고 싶었던 일이 한 가지 정도는 있다는 것을요. 그리고 또 생각해봐요. 그 일을 했다면 '인생이 지금보다 더 편했을까?'를요. 모두가 다 더 편하다고 이야기하지 않죠? 그런데 어째서 '당연한 이야기'처럼 들려서 생각하지 않을까요? 전혀 당연한 이야기가 아닌데도 말이죠.

전 이렇게 생각해요. '우리가 알고 있으니깐.' 그래서 생각하지 않는 거잖아요. 하지만 아는 게 전부가 아니기에 '특별함'도 있다고 생각해요.

당연하지 않은 이야기와 이 세상에서 당연하다고 여겨지지 않는 것들은 이미 여러분이 꾸준히 생각하신다고 믿어요. 여러분 자신의 '인생'이 당연했지 않은 거처럼 말이죠. 그래서 제가 쓸 이야기는 혹시라도 여러분들이 잊었을 법한 '당연한 이야기'에요. 이미 다들 '알고 있는' 당연한 이야기들이요. 그렇다면 제 이야기에 '특별함'이 있냐고요? 그런 거 없어요. 당연한 이야기니까요. 그러니 그저 가볍게 읽어주세요.

알고 있었지만 살아가면서 잊었던 것을 '기억'하시거나, 느껴주시면 좋겠네요. 이 책에서 편안함이 함께하길 바랍니다. 감사합니다.

저 자 **송민규**

이야기, 넌지시 흘려보내다.

저 자 宋畈奎

○ 바윗덩어리

이 이야기는 지구가 네모난 시절에 이야기다. 지구가 지금과 다르게 네모난 시절에는 세상의 끝이 존재했다. 그곳은 바닷물이 거대한 폭포를 이루고 태양 빛마저 오지 않아서 낮에도 어둠으로 가득한 곳이었다. 그 무엇도 잘 보이지 않고 거센 파도가 넘실거리는 아주 위험한 곳. 당연한 이야기지만 그곳을 간 인간들은 살아서 돌아올 수 없었다. 그랬기 때문에 인간들은 세상의 끝이 정말 존재하는지조차 알 수 없었다. 한때 세상의 끝은 그저 재미난 소문일 뿐이었지만 세상의 끝은 진짜로 존재했다.

역병이 돌아서 인간 세상에 고난이 계속될 무렵, 조물주는 크나큰 실수를 저지른다. 엉뚱한 바윗덩어리에 생명을 부여하는 실수를 저지른다.

못생긴 바윗덩어리는 생명을 얻고 이리저리 움직이며 어리둥절했다. 조물주는 바위에게서 다시 생명을 거두지 않았다. 자신의 실수로 태어난 생명일지라도 소중한 생명을 거두는 것은 매우 잔인한 짓이기에 그러지 못했다. 하지만 살려두더라도 못생긴 바윗덩어리를 역병으로 혼란스러운 인간 세상에 내버려둘 수 없었다.

"미안하구나, 너를 이대로 둘 수 없다. 세상의 끝으로 가거라."

조물주는 바윗덩어리를 세상의 끝으로 보냈다. 하지만 아무리 바윗덩어리라도 그곳으로 가는 여정이 순탄할 수 없었다. 세상의 끝 거친 물살이 바윗덩어리의 몸을 깎았기 때문이다. 세상의 끝이 가까워질수록 바윗덩어리는 조물주가 왜 자신을 세상의 끝으로 보냈는지 알 수 있었다. 거친 파도 속에서 가루가 되어 수명이 다하기를 바란다는 것을 잘 알 수 있었다. 하지만 바위는 조물주를 원망하거나 미워하지 않았다. 더구나 그 어떤 분노도 증오도 없었다. 바윗덩어리는 그저 자신에게 생명을 준 은인의 뜻이라면 아무리 긴 세월도 외롭지 않고 끝을 알 수 없는 고통도 아프지 않다고 생각했다.

세상의 끝에 도착한 바윗덩어리는 자리를 잡고 앉았다. 그리고 긴 세월을 보내며 자신이 가루가 되길 기다렸다. 이 모습이 지옥 같아 보여도 이상하지 않았지만, 세상의 끝에서 바윗덩어리의 평온한 모습은 고요하고 아름다웠다.

바윗덩어리가 세상의 끝에서 수명이 다해가길 기다린 지 인간의 시간으로 100년 정도 지났을 무렵, 길 잃은 배 한 척이 바윗덩어리가 있는 세상의 끝으로 빠르게 다가왔다.

바윗덩어리와 다르게 평화롭고 안전한 내륙에서 신의 사랑을 듬뿍 받으며 행복을 누리는 인간들이 못생긴 바윗덩어리가 있는 세상의 끝으로 떠내려왔다. 조물주의 사랑을 받지 못한 바윗덩어리는 인간들을 질투하거나 시기할 법도 했지만 그러지 않았다. 이 멍청한 바위는 오히려 신이 인간을 사랑하고 좋아하는 데에는 이유가 있을 거로 생각했다. 그래서 바윗덩어리는 조물주의 뜻을 이해하려고 인간들을 사랑하고 있었다. 인간을 사랑한 바윗덩어리는 인간이 여기로 오면 아주 위험하다는 것도 잘 알고 있었다. 바윗덩어리는 세상의 끝, 거친 파도 속에서 배가 무사히 내륙으로 갈 수 있게 묵묵히 도와주었다.

자신들의 생명을 구해준 바윗덩어리가 너무나 고마웠던 인간들은 바윗덩어리에게 답례를 했다. 인간들은 고마운 마음과 진심을 가득

담아, 못생긴 바윗덩어리를 조각했다. 그 결과 바윗덩어리는 이 세상에 존재하는 그 어떤 진귀한 예술작품과 견주어 봐도 손색없는 멋진 바위 조각으로 탄생했다. 인간들의 답례는 놀라움 그 자체였다.

그 모습을 지켜보던 조물주는 바윗덩어리에게 너무나도 큰 감동을 하였다. 그래서 조물주는 바윗덩어리에게 원하는 것이 있으면 무엇이든 들어주겠다고 했다. 바윗덩어리는 잠시 고민하는가 싶더니 이내 대답했다.

"빛이 가지고 싶어요. 여긴 너무 어두워서요."

조물주는 바윗덩어리의 부탁이 너무나 의아했지만, 이유를 묻지 않고 아무 말 없이 바윗덩어리의 부탁을 들어주었다. '빛'을 받은 바윗덩어리는 어두웠던 세상의 끝을 밝혔다. 멀리서부터 세상의 끝으로 잘못 오는 인간들의 배를 비췄다. 그렇게 바위는 이 세상에서 유일한 '세상의 끝 등대'가 되었다.

그 모습에 또다시 바윗덩어리에게 감동한 조물주는 '등대'에게 세상의 끝에서도 부서지지 않을 튼튼한 몸을 주었다. 그렇게 바윗덩어리였던 등대는 거친 파도와 험한 물살에도 부서지지 않는 '금강석 등대'가 되었다.

하지만 조물주의 의도와 다르게 이 이야기는 인간들에게 빠르게 퍼져나갔다. 그 결과 역병이 난무하는 인간 세상에 치료비가 없던 인간들이 세상의 끝으로 몰려들었다. 몰려든 인간들은 치료비를 벌기 위해 '등대 조각(다이아몬드)'을 캐기 시작했다.

등대는 결코 작지 않았지만, 인간들의 욕심으로 인해 한 조각도

남지 않고 산산이 부서져 인간들이 사는 내륙에 방방곡곡 흩어지게 되었다. 이 모습을 본 신은 인간들에게 실망해버렸다. 사랑하는 인간들에게 배신감을 느낀 조물주는 '지구를 둥글게 만들었다.'

지구가 둥글게 변한지도 모르는 욕심 많은 인간들은 계속해서 출항했다. 어딘가에 남아 있을지 모르는 등대 조각을 가지려고. 하지만 등대 조각은 전혀 남아있지 않았다. 또 둥글게 변해버린 바다는 그들은 내륙으로 인도하지 않았다. 그들은 평생 바다를 헤매다 바다 위에서 굶어 죽었다. 그래도 소수의 욕심 없던 인간들은 출항하지 않았고 내륙에서 안전하게 살 수 있었다. 훗날 살아남은 인간들이 바다를 여행하다가 '썩어버린 배'를 발견하면 '유령선'이라 부르며 무서워하기도 했다는 이야기도 있다.

조물주는 '영혼이 된 금강석 등대'에게 물었다.

"인간들이 밉지 않니?"

등대는 아주 평온한 표정으로 신에게 말했다.

"아니요. 제 조각으로 인해 세상의 끝으로 오는 인간들뿐만 아니라, 내륙에 있던 인간들까지도 구할 수 있었어요. 병원비가 없어서 치료할 수 없었던 인간, 가난으로 인해 굶주렸던 인간도 제 조각으로 살릴 수 있었죠. 조물주의 깊은 뜻에 전 너무나 감사할 뿐이에요."

조물주는 처음으로 눈물을 흘렸다. 다시 한 번 등대에게 깊이 감동을 한 조물주는 마지막으로 등대가 원하는 것을 들어주기로 했다. 등대가 마지막으로 말한 부탁은 정말 그다운 부탁이었다.

"인간들에게 어둠은 정말 불편한 것 같아요. 제가 밤하늘을 환히

비출 수 있게 해주세요. 그리고 언제까지나 인간들을 볼 수 있게 해주세요."

  조물주는 그 부탁을 받아들였다. 한낱 바윗덩어리에 불과했던 그
바위는 오늘날 '달'이 되었다.

🍶 마법의 술병

옛날 아주 먼 옛날, 술병을 놓지 않는 왕자가 있었다. 매일 같이 술을 마시는 것은 말할 것도 없으며, 만취 상태가 되어 잠을 잘 때도 이 왕자는 절대 술병을 놓지 않았다. 왕은 아들이 술독에서 빠져나오게 하고자 막강한 권력으로 '무력'까지 동원했다. 하지만 마치 '마녀의 저주'라도 걸린 듯이 절대 술병을 놓지 않고 술만 마셨다. 왕은 왕자 때문에 깊은 고민에 빠졌다.

"이 나라의 왕자가 하는 일이 술 마시는 거라니… 백성들이 알게 되면…."

왕은 아들의 건강도 걱정되었지만, 자신의 왕국 또한 걱정되었다.

몇 년이 지나도, 왕자는 점점 심해져만 갔다. 진짜 마녀의 저주가 아니라면 설명이 안 될 정도로 왕자는 망가져 버렸다. 이런 아들의 모습을 계속 지켜볼 자신이 없는 왕은 도움을 요청하기로 했다. 왕실의 위상보다 아들의 건강이 훨씬 중요했기 때문이다.

"백성들은 들어라! 그 누구든 왕자가 술독에서 빠져나오게 한다면, 짐이 할 수 있는 것은 무엇이든 들어주겠다."

이 왕언(王言)은 순식간에 온 백성에게 전해졌다. 그 결과, 백성들 사이에서 왕자의 술병은 '마법의 술병'이라는 말이 생겨났다. '왕자가 술병을 놓는다면' 그 어떠한 것도 얻을 수 있기 때문이었다. 그리고 어린아이들 사이에서 오래된 동요처럼 '왕자는 주정뱅이'라는 웃지 못할 노래가 만들어지기까지 했다. 또 왕자가 사는 성 근처 황량한 사막은 성으로 오는 백성이 많아지면서 '꿈의 길(Way of Dream)'이라 불렸다.

황량한 사막에서 '꿈의 길'로 이름만 바뀐 것도 아니었다. 그곳에 상인들이 하나둘 모이더니 성으로 향하는 사람들에게 식량이나 기념품 같은 걸 팔기도 하고 고된 여정으로 쉬고 싶은 사람들에게 숙박을 제공하면서 '화려한 상인 도시'로 발전하기도 했다.

성에 도착한 다양한 사람들은 왕자가 술을 그만 마시게 하려고 노력했다. 하지만 그 모습은 자신이 원하는 것을 얼기 위해서 노력하는 모습이었다.

'구걸이나 간곡한 부탁으로 동정심을 사려는 백성', '진심으로 위하는 척하는 간인(奸人)', '마법으로 해결하겠다는 못 미더운 마법사', '힘으로 굴복시키려 하는 전사들', '절세미녀로 소문난 이웃 나라의 공주'까지 모두 왔었지만, 실패했다.

'왕자는 이대로 술독에 빠져 죽는 걸까?'라고 모두가 생각하며 고개를 절레절레 저을 때, 아주 평범해 보이는 소녀가 찾아왔다. 왕은 평범한 소녀를 보고 한숨을 내쉬었다. 일말의 기대도 없는 표정으로 지그시 쳐다보다가, 이내 시선까지 돌려버렸다. 하지만 이 소녀는 그런 왕을 아랑곳하지 않고 왕자를 만났다.

왕자는 이미 술에 가득 취하여 품격과 기품이라곤 찾아

볼 수 없는 '그냥 주정뱅이'였다. 소녀는 왕자를 불러보았다.

"왕자님?"

왕자는 허공만 보다가, 초점 없는 흐리멍덩한 눈으로 소녀를 바라봤다.

"다행이네요. 제 목소리가 들리긴 하나 보네요."

왕자는 고개를 끄덕거리며 듣고 있다고 표시했다. 그러자 소녀는 꽃 같은 미소를 지으며, 왕자에게 말했다.

"왕자님, 술병을 제게 주세요."

소녀의 말을 들은 왕자는 오히려 들리지 않은 척했다. 다리를 떨며 술병을 꼭 쥐었다. 이런 왕자의 모습을 차분하게 지켜보던 소녀는 이어서 말했다.

"왕자님, 술을 그만 드시라는 것이 아니에요. 제가 따라 드리려고 해요."

그러자 왕자의 흐리멍덩했던 눈이 밝게 빛났다. 왕자는 빛나는 눈으로 꽃같이 순수하고 아름다운 미소로 말하고 있는 소녀를 봤다. 그리고 재빨리 술잔을 찾았다. 하지만 왕자는 곧 알게 되었다. 자신에겐 술 한잔을 나눌 친구도, 따라주거나 마실 술잔조차 없다는 것을.

'그래, 내가 술을 마셨던 이유는 마녀의 저주가 아니야. 내 진심을 털어놓을 수 있는 사람… 친구가 없어서야…'

왕자는 깨달았다. 술을 마시지 않으면 버틸 수 없는 괴로움과 마셔도 채워지지 않는 공허함은 '단지 외로워서'라는 것. 그리고 술병을 놓지 못하는 이유는 '술잔'이 없기 때문이라는 사실을.

왕자는 꼭 쥐고 있던 술병을 놓으며 소녀에게 말했다.

"내가 하고 싶은 말도 많고, 듣고 싶은 이야기도 많은데… 괜찮다면 시간 좀 내주겠니?"

소녀는 왕자와 '친구'가 됐다. 왕자는 소녀를 만나고 거짓말처럼 술을 마시지 않았다. 대신 소녀와 이야기하며 '품격과 기품'을 되찾아갔다. 또 소녀와 함께할 땐 마냥 행복하게 웃는 모습도 보였다.

그런 왕자의 모습에 왕은 진심으로 기뻐했다. 아들이 술을 마시지 않고 '웃는 모습'을 보면서 매우 기뻐했다. 왕은 왕자와 친구가 된 소녀에게 근엄하게 물었다.

"원하는 것이 무엇이냐?"

소녀는 싱그럽게 웃으며 대답했다.

"꿈의 길이 사라졌으면 좋겠어요. 정확히 말하면 그곳이 다시 예전처럼 황량한 사막이 되고 이름 또한 꿈의 길이 아닌 모래사막으로 돌아왔으면 좋겠어요."

왕은 소녀의 부탁이 이해되지 않았다. 시간이 지나면 자연스럽게 꿈의 길은 '모래사막'이 될 텐데, 굳이 이 소녀가 왜 이런 부탁을 했는지 도저히 이해할 수가 없었다. 옆에서 엿듣던 '왕자'도 왕과 마찬가지였다. 하지만 왕은 신하들을 소녀의 부탁을 곧바로 시켜서 들어줬다. 왕의 신하들은 꿈의 길에 사람이 살지 못하도록, 이름 또한 꿈의 길이라 부를 수 없도록 했다.

소녀의 '소원' 때문에 꿈의 길에서 생계를 유지하던 상인들은 원래의 고향으로 돌아갔다. 그곳에 있던 모든 상인이 떠나자, 꿈의 길은 자연스럽게 '황량한 모래사막'이 됐다. 소녀는 왕에게 이것으로 충분하다고 했지만, 왕은 큰 공을 세웠다며 소녀에게 걱정 없이 성에서 살라고 명했다.

성에서 소녀가 살게 되자 왕자는 매일 소녀를 찾아가 이야기를 해댔다. 고리타분할 수 있는 왕국의 이야기부터 소녀를 만나기 전 자신의 이야기 등, 많은 이야기를 했다.

가끔 그들의 모습을 지켜보던 신하들은 왕자의 이야기가 너무 지루해서 항상 같이 있는 소녀를 걱정했었다. 그러나 소녀는 '죽마고우'와 수다하듯이 매우 즐거워했다.

왕자는 처음에 자신의 이야기만 했었지만, 시간이 지나자 소녀가 궁금했는지 그녀의 이야기를 많이 듣고 싶어 했다.

"내가 친구가 없다는 걸 어떻게 알았어?"

"저도 친구가 없으니까요… 친했던 사람들이 전쟁 때문에 모두 죽었거든요."

왕자는 소녀의 말을 듣고 깨달았다. 그동안 자신에게서 술병을 놓게 하려는 사람들이 실패한 원인과 이 소녀가 술을 끊을 수 있게 도와줄 수 있었던 이유를.

"그럼 네가 원하던 것이 친구였어? 그럼 왜, '이상한 소원'을 말한 거야?"

"죄송하지만, 그건 비밀이에요."

왕자는 궁금했지만, 비밀을 알아내려 하지 않았다. 소녀와 왕자는 이미 '절친한 친구'니까. 하지만 이들과 나라의 평화는 계속되지 못했다.

왕자는 나라를 강대국으로 만들기 위해 '군사 물자와 병력'을 늘리는 것만 집중했다. 하지만 이러한 군사적 활동은 주변 약소국들을 위협했다. 위협을 느낀 그들은 만일의 상황에 대비해 서로 '동맹'을 맺었다. 동맹을 맺은 여러 약소국이 평화협정을 맺자고 '왕자'에게 찾아왔지만, 왕자는 단번에 거절해버렸다. 소녀는 과거 참담했던 전쟁을 떠올리며 왕자와 크게 다퉜다.

"현명한 생각하실 줄 알았는데… 실망이네요."

"나야말로 정말 실망이다! 네가 그런 생각을 할 줄이야. 당연히 넌 내 편일 줄 알았는데…"

왕자는 평화협정이 불합리하다고 생각되어, 소녀에게 자신의 생각을 말했다. 하지만 소녀는 그 말에 전혀 동의하지 않았고, 자신의 생각과 왕자가 했으면 하는 행동을 말했다. 그러나 여기서 '작은 오해'가 생겼고, 이들은 크게 다퉜다.

왕자에게 실망한 소녀는 결국, 성을 떠나 버렸다. 영원할 것 같았던 이들의 '특별한 만남과 우정'은 갈라서게 된다.

왕자는 소녀와 다툰 뒤 많은 사람을 찾아갔다. 기품이 넘치는 귀족 집안의 아들, 용맹스러운 왕실기사, 지식이

빛나는 과학자… 여러 사람에게 찾아가서 물었다.

"내가 평화협정을 잘못 생각했던 걸까?"

왕자가 찾아갔던 모든 사람은 한결같은 대답을 했다.

"아니요! 왕자님이 백번 옳습니다."

왕자는 자신이 틀리지 않았다고 굳게 믿어버렸다. '아첨하는 이들'과 함께하다 보니 '소녀의 빈자리'는 메워졌다.

그러던 어느 날, 현 '절대왕권'에 불만을 느낀 세력이 나타났다. 그 세력은 왕권을 손쉽게 무너뜨리고 '왕'을 죽였다. 그리고 도망가는 왕자를 '맹추격'했다.

왕자에게 '아첨을 떨고 맞장구를 쳐줬던 사람들'은 그를 도와주지 않았다. '당연한 이야기'지만 그를 잡으려 했다.

"'반란의 불씨'가 도망간다. 놓쳐선 안 돼!"

그들은 역시나 '도망자'의 친구가 아니었다.

한때 왕자였던 도망자는 수많은 죽을 고비를 넘기며, 도망치다가 한적한 시골 마을에 도착했다. 평화로운 마을 풍경과 아름다운 새소리에 눈물 흘리다가 문득, 친구가 되어주었던 '소녀'가 생각났다. 소녀가 자신을 반겨 줄 거로 생각해서 그런 건 아니었다. 그는 단지 궁금했다. 그때 그 소녀가 잘살고 있을지, 또 그때 말하지 않았던 '이상한 소원에 의미'가 무엇이었는지. 그는 다짐했다.

'반드시 내가 죽기 전에는 소녀를 찾아가 묻기로.'

그는 수많은 세월을 도망치며 '소녀'를 찾았다. 너무 많은 세월을 헤매는 바람에 '이젠 소녀라고 부를 수 없겠지

만.'

"누구여?"

그가 포기하지 않은 결과, '어릴 적 소녀'를 찾을 수 있었다. 물론 마주한 그녀는 이제 '노파'였지만.

"내가 궁금한 게 있어서 당신을 찾았는데, 너무 많이… 정말… 오래 걸려서 잠시 울어도 되겠소?"

노파는 그가 우는 모습을 보고는 '어릴 적 왕자'였다는 걸 알아보았다. 그를 알아본 노파는 눈이 휘둥그레졌다가 이내 그와 함께 울었다. 노파도 그를 찾고 있었기 때문이었다. 서로 말없이 한참을 울다가 노파가 먼저 말을 꺼냈다.

"미안해… 힘이 되어주고 싶었는데 많이 무서웠어요…"

"아니야, 내가 미안해. 그리고 괜찮아. 우린 너무 어렸으니까…"

이들은 옛날처럼 살아온 인생을 서로 이야기하며 웃기도, 울기도 했다. 그러다 그가 그녀에게 물었다.

"혹시, 기억나나? 예전에 당신이 '꿈의 길을 모래사막으로 돌려달라고' 말했잖아. 왜 그런 '쓸데없는 소원'을 아버지께 말했던 건가?"

노파는 고개를 들어 올려, 거미줄이 가득한 천장을 바라보며 말했다.

"내 생애 첫 친구가 '주정뱅이'였다는 증거는 이 세상에서 빨리 없어지는 게 좋으니까요."

소녀는 싱그럽게 웃으며 대답했다.

"꿈의 길이 사라졌으면 좋겠어요. 정확히 말하면 그곳이 다시 예전처럼 황량한 사막이 되고 이름 또한 꿈의 길이 아닌 모래사막으로 돌아왔으면 좋겠어요."

☆ 가시 꽃

나는 옛 기억을 떠올리고 있다. 매우 '불편한 편지'는 옛 기억을 떠올리게 했다.

어렸을 때를 떠올려본다. 그땐 내가 별로 행복한 적이 없었다. 난 불행했다.

아버지는 알코올 중독자이고 어머니는 내가 기억나지도 않을 때 이미 집을 떠났다. 이런 환경이 나의 불행에 전부였다면 소소한 행복이라도 있었겠지만, 아쉽게도 나는 아버지에게 매일 구타당하며 학대당했다. 빌어먹을 학교에서는 따돌림과 폭력, 가혹 행위로 버티기 힘든 생활의 연속이었다. 그 시절 난, 어떻게 하면 행복할 수 있을까를 고민하지 않았다. 그저 나의 고민은 살 것인지, 죽을 것인지 뿐이었다. 분명 난 진짜로 자살을 기도했었다. 하지만 숨이 턱 끝까지 차오르며 정신이 희미해져 갈 때, 무척이나 살고 싶어져서 겨우 정신을 차리고 자살을 포기했다.

이런 상황에서 살고 싶다고 생각한 내가 너무 끔찍하고 추잡해서 버티기가 힘들었는데, 자살을 시도하려고 했던 흔적을 본 아버지는 이런 말을 했었다.

"죽으려면 곱게 죽고, 살려면 화려하게 살 것이지… 쯧쯧. 지랄한다."

지금 생각해보면 그 말은 정말 고맙다. '이대로 죽는 건 너무 억울하다'는 생각을 들게 해준 그 한마디 때문에 지금 내가 살아있으니까.

생각해보니 그때부터였다. 학교를 자퇴하고 아르바이트를 하며 검정고시를 준비했을 때가. 그때 아버지에게서 도망쳐 나오니, 잠깐은 나도 뭔가 할 수 있다는 성취감으로 행복했었던 것 같기도 하다. 하지만 내가 어디로 가든 아버지는 날 찾아냈다.

"술값만 주면 그만 올게."

아르바이트해서 모았던 돈들이 그 잘난 아버지의 술값으로 사라졌을 때의 상실감은 성취감, 행복감 따위도 원래부터 없던 것처럼 만들었다. 그래도 항상 '술값'을 줄 때마다 이젠 정말 볼일 없을 거라는 '희망'이 있어서 인생, 나름 재미있었다.

마침내 검정고시를 붙고, 사법고시에 응시하고 싶어서 법학 서적들을 샀던 날. 그날이 생생하게 기억난다. 그때 유난히 흐느꼈다. 안타깝게도 기뻐서 흘린 눈물이 아니었다. 다른 녀석들은 검정고시 붙었다며 부모님이나 친구들한테 축하받았을 때, 나는 대단하신 '술값'이 없어서 개패듯 맞았다. 아무리 노력해도 인정받지 못한다는 서러움보다 축하받을 다른 녀석들 생각하니깐, 배 아파서 울었다. 생각해보면 그때 아버지가 정말 미웠어도 축하받고 싶다는 쓸데없는 감정은 남아있었나 보다.

내가 명문대학교 법학과에 합격한 날. 아버지가 간암이라며 찾아왔다. 난 그 이야기를 듣자마자 '잘됐네. 빨리 죽었으면 좋겠다.'고 생각했다. '어차피 우리 아버지는 다른 아버지들처럼 자식을 사랑하지 않으니까.' 나에게 필요 없는 사람일 뿐이니까. 하지만 그때 나는 대학 진학을 포기하고 아버지에게 내가 쓰려고 했던 대학등록금을 줬다. 아마 난 그때 혹시라도 후회할까 봐 줬던 것 같다. 아버지가 나에게 단 한 번도 잘해준 적 없었지만, 나 또한 아버지에게 잘해준 적 없으니깐. 내가 이거라도 해주고 아버지가 죽어야 내 마음이 편할 것 같아서 '병원비'로 줬다.

대학 입학을 미루고 군대에 갔을 때였다. 그때 아버지가 난생처음 고맙다는 말을 해서 이날도 기억난다.

"고맙다."

그때 나는 아무 말 하지 않고 아버지를 지나쳤다. 내가 쓸데없는 짓을 해서 아버지가 건강을 되찾았을까 봐, 후회하면서 쓸쓸히 입대했다. 뭐, 가끔 생각나는 '군시절'을 돌이켜보면 사회보다 훨씬 인간다웠고 편했던 것 같다.

군대를 전역하고 아버지를 찾아갔었다. 물론 아버지가 보고 싶어서 찾아간 것은 아니었다. 그날, 아버지는 나를 약간의 미소로 반기며 인사했다. 난 그런 아버지에게 마지막 인사를 했다.

"다신 보지 않았으면 좋겠습니다. 아버지."

그때 분명 아버지의 표정은 처량하고 슬픈 표정이었던 것 같다. 표정이 어땠던, 난 정말 아버지를 다신 보고 싶지 않아서 연락을 끊고 살았다.

난 다시 등록금을 모아, 원하던 대학에 법학과를 졸업하고 사법고시에 합격했다. 그토록 원하던 '검사'가 되었다. 솔직히 왜 '검사'가 되고 싶었는지는 '지금 생각해보니 잘 모르겠다.' 굳이 떠올려보면 어렸을 적 나처럼 가정폭력으로 고통받는 아이들에게 도움을 주고 싶어서인 것 같다.

검사라는 직업은 솔직히 내가 마음속으로 그려왔던 직업은 아니었다. 그래도 난 고통받았던 어렸을 적 시절을 생각하며 일에 매진했다.

아버지를 안 본 지 10년 정도 흘렀을 때였나? 아버지가 죽었다는 소식을 듣게 되었다. 난 참 웃기게도 장례식 정도는 가야겠다는 생각이 들었다. 듣던 중 반가운 소식이었으니까. 그래서 장례식에 갔다.

역시나 이 사람에 장례식은 초라하기 그지없다. 아버지 친구로 보이는 한 사람밖에 보이지 않았다. 그의 인생이 어땠을지 안 봐도 비디오라는 생각이 들어서 절만 올리고 바로 나가려 했다. 그런데 혼자서 장례식을 지키고 있던 '아버지 친구'가 내게 말을 걸었다.

"네가 무감이구나?"

그는 내 이름을 확인하더니 편지 한 통을 줬다.

내 아들 무감에게.

아들아, 날씨가 매우 쌀쌀해졌는데 옷은 두껍게 입고 있는지 모르겠구나. 네가 이 편지를 받았다면 나는 수의를 입고 있겠지.

어디서부터 이야기해야 할지 감도 오지 않지만, 이 편지는 내가 술 마시지 않고 맨정신에 작성하는 거니까 꼭 읽어줬으면 좋겠구나.

사실 네 엄마는 집을 나가지 않았단다. 바람이 나서 이혼을 했던 거야. 모든 게 다 인제 와서 무슨 상관이겠냐만 아빠는 이제야 후회하며 이렇게 편지를 쓰고 있단다. 엄마가 낳은 자식이 내 자식이 아니라 외간남자의 자식이라고 생각하니 도저히 견딜 수 없었단다.

네가 잘 봐서 알겠지만 매일 같이 술을 마시며 헛소리들을 해댔지. 또 너만 보면 엄마와 그 남자가 생각나서 너를 미워했다. 술기운이 달아나면 항상 너를 때린 기억에 혼자 고통스러워하다가 또 술을 마시곤 했단다.

그런데 아들아, 넌 내 아들이 맞았어. 내 자랑스러운 아들.

네가 학교를 자퇴하고 검정고시를 공부하러 떠났던 날. 유전자 검사를 해봤지. 당연히 이름도 모르는 남자의 자식일 거로 생각했단다. 결과를 확인하고 너에 대한 죄책감을 씻어내려 했단다. 정말 이제 안 보려 했는데… 친자확인결과 검사결과는 친자로 나왔단다. 내가 너한테 어떻게 했는데 내 친자라니… 그래서 집을 떠난 너를 찾아다녔다. 찾을 때마다 널 사랑한다고 내가 네 아버지라고 말하고 싶었다… 하지만 난 심각한 정신병 있었다. 생각과 정반대의 행동을 하게 되는 정말 특이한 정신장애였어.

너를 찾아가서 학대하고 집에 돌아와서는 흐느끼며 울분을 토했단다. 사실 그 시기엔 정신병인 줄도 몰랐지. 이 못난 아비가 정신병을 인정하기 싫었나 보다.

그렇게 내 정신하나 간수 못 하고 살던 어느 날이었지. 너도 잘 알겠지만, 간암 판정을 받았단다. 그때 이 못난 아비는 죽으니 너라도 반드시 행복하게 살라고 말하려고 했다. 그런데 넌 치료할 때 쓰라며 너의 꿈이 담긴 대학등록금을 줬지. 난 그 돈을 받으면 안 되는 걸 알지만, 살고 싶었단다. 지금 생각하니, 이렇게까지 살고 싶던 내가 정말 끔찍하고 추잡해서 견딜 수가 없구나. 그래도 너에게 받은 돈은 결국… 간암 치료에 쓰지 않았단다. 내 정신장애를 고치기 위해 썼지.

너의 꿈을 받은 날, 이 아비는 결심했다. 그동안 세월을 헛살았지만, 앞으로는 너와의 좋은 미래를 위해서 살겠다고. 물론 난 간암으로 죽겠지만, 적어도 인간답고 아비답게 죽고 싶었던 욕심도 있었다.

열심히 노력한 결과 정신장애가 어느 정도 정상으로 돌아오고 있었을 때였지. 그때 네가 군대에 간다고 해서 고맙단 말을 꼭 전해주고 싶었단다. 혹시라도 정신병이 도질까 봐 불안해하며 너를 보고 말했지. '고맙다.'라고.

너는 몰랐겠지만 내가 너에게 그 말을 하고 나니, 순간 세상을 다 가진 것 같았다. 정신장애가 극복되어 너에게 처음으로 고맙단 말을 할 수 있었으니까. 그런데 너는 나를 지나가 버렸다.

그런 너는 잘못이 없지만, 난 다시 한 번 다짐했다. 네가 전역할 때까지 기필코 죽지 않기로. 정신장애를 완벽하게 극복하여 너와 내가 행복하게 살기를 기도하면서.

네가 군대에 가 있는 동안, 이 아비는 간암이라는 것도 잊고 열심히 일했단다. 거친 현장에서 보람을 느끼며, 너에게 받았던 돈들을 다 갚아도 남을 만큼 열심히 모았다. 그리고 그저 네가 전역하기만을 기다렸다.

방 세 칸짜리 집을 얻었을 때였지? 네가 전역했다는 소식을 들었다. 네가 먼저 와준다고 해서 얼마나 기뻤는지 몰라. 들뜬 마음에 장도 보고 난생처음 해보는 요리도 해봤단다. 그런데 너는 나에게 앞으로 보지 말자는 말을 했지…

가슴이 찢어질 것 같았지만, 모든 건 다 과거의 내 잘못이잖아? 원망할 사람도 없었지. 이 아비는 아무 말도 하지 못하고 너를 보낼 수밖에 없었다. 그리고 생각했지. 내 간암이 언제까지 버텨줄지 몰라도 죽을 때까지 너에게 속죄하며 살겠다고.

하지만 이 아비는 속죄도 못 하고 너에게 도움만 받아버린 것 같구나. 원래 간암 환자는 말기로 접어들게 되면 6개월을 넘기기 힘들다고 의사가 말하더구나. 하지만 나는 10년 넘게 살 수 있었다. 너를 생각하면서, 너를 자랑하면서… 그러니까, 넌 내 생명의 은인이다. 또 의사가 이런 말을 했지. 간암 환자 중에 아마 내가 제일 오래 살았을 거라고, 기적과도 같은 일이라고.

네가 원했든 원하지 않았든 너 때문에 오래 살 수 있었으니까, 자그마한 보답이라고 생각하고 꼭 이 편지 속에 들어있는 통장을 써주길 바란다.

끝으로 이 아비가 용서를 바라서 편지를 쓴 것은 절대 아님을 전한다.

조금이라도 너의 마음이 편안해지길 바라는 마음에 진심으로 속죄하고 싶어서 쓴 편지란다. 그래도 마음이 편하지 않다면, 이 아비를 그저 못된 소나기라고 생각해주거라. 나라는 못된 소나기가 내려서 너라는 아름다운 꽃이 피었으니까. -못난 아비가 씀.

난 이 편지를 안주머니에 넣으며 담배 하나를 꺼내 들었다. 빌어먹을 과거의 기억을 멋대로 떠올리며 난 멋대로 생각했다.

'하… 정말 미안하지만, 마음이 편해지지도 않고 용서도 안 됩니다. 그래도 고맙습니다. 왜 그랬는지 알게 해줘서.'

그때 유난히 흐느꼈다. 안타깝게도 기뻐서 흘린 눈물이 아니었다. 다른 녀석들은 검정고시 붙었다며 부모님이나 친구들한테 축하받았을 때, 나는 대단하신 '술값'이 없어서 개 패듯 맞았다. 아무리 노력해도 인정받지 못한다는 서러움보다 축하받을 다른 녀석들 생각하니깐, 배 아파서 울었다. 생각해보면 그때 아버지가 정말 미웠어도 축하받고 싶다는 쓸데없는 감정은 남아있었나 보다.

섬에서 감각을 잃어버린,

우리 영원히.

저 자 宋畋奎

섬

어른과 아이가 잔잔한 바다를 보고 있다. 잔잔한 파도가 치는 이 섬에서의 생활은 그들에게 충분한 안식처다. 서로 사이좋게 미소를 띠며 아무 생각 없이 바다를 보는 이들은 문제없는 어른과 아이다.

하지만 어느 날, 뿌연 물안개가 걷히고 거리를 가늠할 수 없는 섬 하나가 보이기 시작했다. 초롱초롱한 눈망울에 섬을 담은 아이가 말했다.

"전 저 섬에 반드시 갈 거예요!"

아무 대책 없는 아이의 말은 어른에게 많은 생각을 하게 했다. '저 섬이 얼마나 멀리 있는지 감도 안 잡힌다.', '깊은 바닷속엔 상어가 있을지도 모른다.', '해안가 파도는 잔잔하지만, 수심이 깊은 바다 중턱은 파도가 거셀지도 모른다.' 어른은 어른으로서 당연히 할 수 있는 생각을 했다. 역시 어른은 아이의 생각에 반대할 수밖에 없었다.

"그건 안 돼! 헤엄쳐서 저 섬을 간다는 건 자살 행위와 다를 바 없어."

'어째서, 무엇 때문에'라는 설명은 어른이 느끼기에 당연한 이야기라서 굳이 아이에게 설명하지 않았다. 하지만 아이는 이미 초롱초롱한 눈망울에 저 섬을 담았다.

"저 섬엔 제가 원하는 것들이 있을 것만 같아요. 만약 없다고 해도 지금은 너무나 가고 싶어요. 물안개가 걷힌 지금 가지 않는다면, 다시 또 언제 기회가 올지 몰라요. 그렇게 평생 후회하는 건 죽기보다 싫어요."

어른의 관점에서 위험하다는 생각이 드는 게 당연하다면, 아이로선 저 섬으로 떠나는 것만이 당연하다.

"네 말대로 저 섬엔 기본적인 식량마저 없을 수 있어. 네 죽음이 뻔히 보이는데 내가 어떻게 널 보내겠니?"

답답한 어른과 아이… 결국, 아이의 고집에 어른은 화를 내고 만다.

"안된다면 안 돼! 왜 이렇게 말을 안 들어! 나는 절대 너를 보낼 수 없어."

아이는 눈물을 글썽이며 그 자리를 도망쳐버린다. 그 행동은 겁이 난 아이의 자연스러운 행동이었지만, 어른은 아이의 눈물을 보고 조용히 생각한다. '만일 아이가 저 섬에 도착한다고 해도 기본적인 물마저 없을 수 있다.', '저 섬에 도착하면 이 섬보다 좋은 점이 무엇일까?' 어른은 도저히 장점을 생각할 수 없었다. 장점이 없기 때문이다.

답답한 가슴을 부여잡는 어른을, 알 리 없는 아이는 전혀 다른 생각을 한다.

'저곳엔 내가 원하는 것이 수없이 많을 거야. 그러니 난 꼭 가야 해.' 아이는 단점을 생각할 수 없다. 저 위험천만한 섬을 가는 것이 아이에게 첫 번째 도전이라서 그럴지도 모른다. 미래를 짐작조차 할 수 없는 아이는 어른에게 말한다.

"전 아무리 생각해도 저 섬을 가야겠어요. 저곳엔 분명 내가 원하는 게 있어요."

어른은 맑고 아름다운 아이의 눈을 보다가, 결심이 선 듯 말했다.

"그래, 가거라."

그렇게 어른은 '현실이라는 섬'에 안주하고 아이는 '꿈이라는 섬'으로 떠난다. 어른은 아이가 떠난 잔잔한 해안가 앞에서 오매불망 아이를 그리워한다. 하지만 이런 어른을 비웃기라도 하듯이 '상어에게 찢긴 아이의 팔'은 잔잔한 해안가로 떠내려왔다. 아무래도 아이는 죽은 듯하다.

"말렸어야 했는데…"

어른은 오열했다. 말리지 못한 자신에 대한 분노와 아이를 잃었다는 슬픔에. 그는 계속해서 오열했다. 그의 오열이 계속되자 '지나가는 나그네'가 그에게 무슨 일인지 물었다. 그는 그동안 있었던 자신의 잘못과 아이의 무모함을 이야기했다. 이야기를 들은 나그네는 따끔한 한마디를 했다. 그것은 값싼 동정이 아닌 진심이 담긴 한마디였다.

"말린다고 해결됐을까요? 아이에게 어떻게 갈지, 물어는 봤나요? 만약 그랬다면 어째서 같이 고민하지 않았나요? 도대체 왜!, 목숨을 부지하고 그 섬에 갈 방법을 함께 고민하지 않았나요?"

나그네의 진심 어린 한마디에 어른은 아무 말도 할 수 없었다. 말리지 못한 것을 잘못으로 생각했던 어른은 자신의 어리석음에 다시 오열했다.

"당신의 구실은 아이가 '꿈이라는 섬'으로 무사히 도착할 수 있게 도와주는 거 아닌가요? 물론 그것을 잔소리라며 회피하는 아이가 많아요. 그런 아이도 문제지만, 당신처럼 허락만이 전부라고 생각하는 어른이 더 큰 문제죠."

◎ 감각

나는 플라스틱회사에서 근무하고 있다. 매일 같이 반복되는 회사에서 굳이 유일한 낙을 말하자면, 흡연실에서 담배 하나를 태우는 것이다.

오늘도 어김없이 불량만 나오는 기계 따위에 스트레스받으며 흡연실로 향했는데, 회사에서 현명하기로 유명한 '곽조장'이 다른 조원과 담배를 태우고 있었다. 난 그들의 대화를 엿들었다.

"조장님, 누굴 만나야 잘 만났다는 생각이 들까요?"

"담배 피우다가 뜬금없이 무슨 소리야?"

슬쩍, 곽조장 얼굴을 봤더니 헛웃음을 지으며 조원을 보고 있었다.

"아니, 그냥 이제 결혼도 해야 할 것 같고… 그래서요."

조원은 다소 어둡고 진지한 얼굴로 담배를 태우며 말하고 있었다.

"푸하하하. 웃긴 놈이네~ 연애부터 해라."

"그러니깐, 이제 연애를 하게 되면 함께할 동반자를 만나고 싶은데 누굴 만나야 할지 모르겠어요."

곽조장은 이 말을 듣더니 한숨을 길게 내쉬었다. 그리고 안주머니에서 담배 하나를 꺼내 불을 붙였다. 그는 아무 말 하지 않고 담배만 피워댔다. 그 모습을 보고 있던 조원이 말을 꺼내기 시작했다.

"사실 요즘 선보고 있어요. 결혼정보회사에 가입했거든요. 뭐, 집에서 권유하기도 했고… 그래서요."

곽조장은 씨익 웃더니 담배를 껐다. 그리고 말했다.

"넌 몇 등급짜리 사람이디?"

조원은 순간 인상을 찌푸리더니 담배 한 모금을 급하게 빤다.

"무슨 말씀을 그렇게 하세요! 조장님, 아니 형! 진지하게 상담하고 싶어서 말 꺼낸 거예요."

"그럼 다시 물어본다. 네가 선보는 여자들은 너랑 같은 등급이지? 그런데 왜 고민해?"

조원은 급하게 담배를 태우고 쓰레기통에 버렸다. 그리고는 일하러 간다며 흡연실을 나가려 했다. 그러자 곽조장이 그에게 잠시만 있다가 가라며 서두르는 그를 불러 세웠다.

"결혼정보회사에 정보도 다 제출하고 선도 보고하는데 왜 고민일까? 사실 너도 알고 있잖아."

"알면 이런 얘길 뭐 하려 해요. 모르니깐 말했던 거지…"

"네가 고민하는 이유를… 이 형은 이렇게 생각한다. 네가 선보는 사람들이 딱히 마음에 안 드는 것도 아니지만, 네 직감이 결혼하기에 모호한 거 아니냐? 확 끌리는 게 없다고 표현해야 하나?"

조원은 고개를 끄덕끄덕하며 조장의 말에 맞장구쳤다. 엿듣던 나도 끄덕끄덕하다가 담배를 태웠다.

"야 이 녀석아, 결혼정보회사는 무슨~ 데이터로 결혼하면 데이터로 이혼하는 거야. 생각해봐라, 서로 만나기 전부터 조건을 봤는데 조건이 달라지면 그 결혼이 유지가 되냐? 물론 네가 결혼을 '거래'라고 생각한다면, 결혼정보회사를 통해서 결혼하는 게 좋은 거래가 되긴 할 거야."

"그럼 어떻게 해야 해요?"

조장은 담배꽁초를 쳐다보면서 말을 이어갔다.

"조금 웃긴 이야기일 수 있는데, 난 이렇게 생각한다. 우리가 일할 때를 생각해봐. 기계를 보는 '시각', 기계 소리를 듣는 '청각', 타는 냄새가 안 나는지 확인하는 '후각', 제품이 잘 뽑혔는지 확인하는 '촉각' 등. 이렇게 많은 감각을 사용한단 말이야. 근데, 일 잘하는 사람은… 앞서 내가 말한 감각 말고 다른 감각을 잘 사용하더라. '육감' 말이야. 결혼 상대를 찾는 것 또한 다를 거 없지 않겠냐?"

조원은 아리송한 표정을 지으며 곽조장을 보다가, 짜증난다는 표정으로 물었다.

"뭔 소리여요?"

곽조장은 흡연실 천장을 바라보며 추억을 회상하듯, 미소 지으며 말했다.

"여섯 번째 감각, 육감이 정답이라는 거지. 신이 있다면 이 감각을 괜히 선사한 게 아니잖아. 아무 조건 없이 결혼을 선택할 수 있는 여자, 그런 여자를 만나야지. 조급해하지 않고 살다가 보면, 인생에 한 번은 꼭 찾아온다. 솔직히, 결혼이라는 인생의 중대한 선택을 남들의 이야기와 시선으로 선택하는 건 아니지 않으냐? 중요한 건 너의 느낌과 서로의 느낌이지."

조원은 알겠다는 미소를 지으며 조금은 편안해져 보였다. 엿듣던 나도 왠지 편안함을 느꼈다. 하지만 작업실로 돌아와서 불량을 만들어내는 기계와 씨름을 하니, 편안했던 마음이 달아나버렸다. 그래도 앞으로 여자를 만날 때 곽조장이 했던 말들은 생각 날 거 같다.

♡ 우리

07월 15일 날씨 비.

장대비가 쏟아지는 오늘 제가 태어났습니다. 태어난 게 후회스럽습니다. 엄마가 절 물어 죽이려 했기 때문입니다. 너무 슬픕니다.

08월 15일 날씨 맑음.

한 달이 지난 지금 몸이 회복되었습니다. 몸을 회복시켜 준 '누군가'가 저를 안고 어디론가 데려갑니다. 무섭습니다. 저는 어디로 가는 걸까요? 마음이 너무 아프고 무서운데 애석하게도 날씨는 맑네요.

09월 15일 날씨 흐림.

이상한 상자 안에 갇혀 지낸 지 벌써 한 달이 흘렀습니다. 이 상자 안에는 마실 물과 먹을 것이 있습니다. 투명한 상자라서 밖이 내다보이는데 오늘 날씨는 흐리네요.

기운 없어 하는 제게, 옆 상자에 있는 친구가 힘내라며 응원해줍니다. '너는 반드시 좋은 사람에게 갈 거야.'라고 하는데 그게 무슨 뜻일까요?

10월 09일 날씨 맑음.

오늘 한 '여자'가 찾아왔습니다. 저를 유심히 보더니 해맑게 웃고 상자에서 꺼내줬습니다. 사실 상자 안이 편안하긴 해도 답답했었는데 고마웠습니다. 옆 상자 친구는 해맑게 웃으며 '조심히 가.'라고 작별인사해줍니다. 고마운 친구와 헤어지는 게 아쉽네요. 그런데 저는 또 어디로 가죠?

10월 10일 날씨 알 수 없음.

그 여자가 저를 자신의 집으로 데려왔습니다. 낯선 그 여자가 귀찮고 무섭습니다. 저를 자꾸 만지려 하고 저를 자꾸 '우리'라고 부릅니다. '우리'가 제 이름인가 봅니다.

10월 17일 날씨 알 수 없음.

엄마가 보고 싶습니다. 아무리 저를 물어 죽이려 한 엄마지만 너무나 보고 싶습니다. 제가 우니깐 그 여자가 저를 꼭 안아주었습니다. 아직 낯선 여자지만 왠지 따뜻합니다.

10월 28일 날씨 선선한 바람.

그 여자가… 아니, 주인님이 저를 엄마가 있는 곳으로 데려가 줬습니다. 멀리서 엄마를 봤습니다. 엄마는 저를 기억 못 하는 것 같습니다. 그래도 엄마를 봐서 좋았습니다. 하지만 엄마를 이제 찾지 않을 거예요.

11월 17일 날씨 시원하고 따뜻한 바람.

주인님과 밖에서 산책하며 놀았어요. 아주 즐거웠습니다. 주인님도 즐거운 것 같아서 너무 좋습니다. 엄마는 날 물어 죽이려 하고 기억하지 못하지만, 주인님은 저를 '사랑' 하는 거 같아요. 그래서 주인님을 이젠 엄마라고 부르려 합니다. 이제 엄마는 주인님이에요.

11월 23일 날씨 맑음.

엄마랑 함께하는 하루하루가 즐겁습니다. 태어났을 때는 이 세상에 존재하는 걸 후회했는데, 지금은 태어나서 엄마를 만날 걸 감사하고 있습니다. 비록 '진짜 엄마'는 아니지만요.

12월 01일 날씨 어두움.

엄마가 집에 오자마자 펑펑 울면서 저를 부둥켜안았습니다. 무슨 일인지 모르겠지만, 걱정됩니다. 엄마가 울지 않았으면 좋겠습니다. 그래서 엄마에게 처음으로 애교를 부렸습니다. 엄마가 울다가 웃으며 저를 귀여워해 주시네요. 울다가 웃으면 큰일인데…

12월 12일 날씨 눈.

오늘 첫눈이 내렸습니다. 엄마는 제게 생애 첫눈을 보여 주고 싶다고 밖으로 데리고 갔는데 눈이라는 거 너무 차갑더군요. 발이 시려 이리저리 뛰어다녔습니다. 그런데 엄마는 제가 좋아하는 줄 아네요. 그래도 저에게 '사랑'을 알려준 엄마가 너무 좋아요.

12월 22일 날씨 알 수 없음.

엄마가 진지하게 '무언가'를 봅니다. 저는 엄마랑 놀고 싶은데 엄마가 이렇게 저에게 무관심한 건 처음이네요. 딱히 삐진 건 아니지만 흥!

12월 23일 날씨 알 수 없음.

엄마가 저에게 미안하다며 간식을 사다 주셨습니다. 딱히 간식이 맛있어서 화 푸는 거 아니에요. 헤헤.

12월 25일 날씨 별이 반짝임.

오늘은 크리스마스라고 하네요. 그래서 케이크에 불을 붙이고 소원을 빌었습니다. 크리스마스 나무도 꾸미고요. 물론 전 구경만 했지만요. 내가 무슨 소원을 빌었는지 궁금해요? 그건 뭐, 당연히 엄마와 앞으로 계속 함께하는 것~.

01월 01일 날씨 눈.

오늘이 새해가 시작되는 날이래요. 엄마가 다소 들뜬 거 같기도 해요. 엄마가 다이어트에 꼭 성공하겠다고 하는데, 제가 봤을 땐 어려울 것 같네요.

01월 29일 날씨 매우 추움.

엄마가 감기에 걸렸어요. 코감기에 걸려서 코맹맹이 소리를 내요. 엄마가 아픈 건 걱정되지만, 엄마의 목소리는 너무 귀엽네요.

2월 15일 날씨 알 수 없음.

엄마가 저에게 선물을 주셨어요. 해맑게 웃으며 저에게 주신 선물은 다름 아닌, 방울이었어요. 엄마가 요즘 귀가 잘 들리지 않아서 제가 다른 방에 들어가도 알 수 있었으면 좋겠다고 주셨어요.

3월 30일 날씨 아주 맑음.

엄마 귀가 더 안 좋아지셨나 봐요. 방울 소리를 못 듣고, 제가 불러도 잘 모르시는 것 같아요. 걱정되지만, 저는 귀가 안 들리는 엄마라도 상관없어요. 끝까지 옆에서 지켜줄 거니깐. 엄마 약속할게요!

4월 04일 날씨 봄비.

잠을 자다가 인기척을 느껴서 일어났는데, 웬 낯선 남자가 칼을 들고 들어왔어요. 우리 엄마 자고 있는데… 저는 엄마를 깨우기 위해서 소리를 내려다가, 귀가 잘 안 들리는 엄마가 일어날 수 없다고 생각했어요. 엄마를 흔들어 깨울까 생각했지만, 저 낯선 남자에게 들키고 말 거에요. 이 방법밖엔 없는 것 같아요. 침입자를 물어서 저지하는 방법이요. 기회를 기다렸다가 물어야겠어요. 지금이에요!

'딸랑.'

아… 방울을 깜빡했어요. 침입자가 놀랐어요. 들켰지만 물어야 해요. 있는 힘껏!

서늘한 무언가가 제 몸을 파고들며 들어와요. 너무 고통스럽지만, 엄마를 끝까지 지키기로 약속했어요. 포기할 수 없어요. 지금 물은 이 다리를 절대 놓지 않을 거예요.

엄마가 깼어요! 성공했어요. 그런데 왜 이렇게 졸리죠? 엄마는 왜 또 칠칠하지 못하게 울고 있는지… 정신이 혼미해져만 가요. 그래도 제가 위로해야 해요. 비록 끝까지 엄

마를 지키며 함께하기 어려울 것 같아도… 제 목소리가 들
릴지 몰라도 말할 거예요.

"미안해요, 고마웠어요. 사랑해요. 엄마."

"왈, 왈왈!"

♡ 원희

O7월 15일 날씨 비.

아빠와 엄마가 이혼했어. 엄마는 지긋지긋한 집구석과
나를 떠나, '꿈을 펼칠 수 있다고 좋아했어.' 아빠는 자신
의 인생에 의미를 찾겠다며, 미안하지만 아주 긴 여행을
다녀오겠다고 했어. 아빠와 엄마가 이혼하는 건 조금도 슬
프거나 두렵지 않아. 내가 어린애도 아니고 말이야… 하지
만 내가 지금까지 쓰레기 같은 엄마를 사랑했었다는 게
너무나 슬프고 두려워.

08월 15일 날씨 맑음.

엄마와 아빠가 이혼한 지 어느덧 한 달. 이제 엄마한테 조금이라도 미련을 갖지 않으려 해. 지금 내 마음이 마치 더러운 도박꾼들의 본전심리처럼 엄마를 사랑했었던 과거를 보상받으려 하는 거 같아서 말이야. 아빠는 재미있는 시간을 보내고 있을까?

09월 15일 날씨 흐림.

아빠가 돌아가셨다는 소식을 들었어. 아빠는 2주 전쯤에 등산하시다가 사고로 돌아가신 것 같다고 그러더라… 아빠가 나에게 매일 같이 입버릇처럼 하시던 말씀이 있었어. 다음 생엔 '개로 태어나고 싶다는 말…' 반드시 이루어지셨길.

10월 09일 날씨 맑음.

아빠의 편지가 내 생일에 맞춰서 왔어. 그래, 오늘이 내 생일이야. 아버지는 여행하면서도 나에게 선물을 주는 걸 잊지 않으시려고 하셨나 봐. 아빠가 이 세상에 없지만… 그래도 이 편지 때문에 아직도 살아계신 것만 같아. 아버지는 내 생일 선물로 '개'를 선물하셨어. 그 개는 태어나자마자 어미에게 물려 죽을 뻔한 개라고 편지에 적혀있었어. 또 서로 비슷한 상처가 있는 생명이라면 대화가 통하지 않아도 아픔을 나눌 수 있을 거라고, 최고의 선물이 됐으면 좋겠다고 적혀있었어. 마지막엔 '생일 축하한다. 사랑하는 딸에게'라고 적혀있었는데, 이렇게 좋은 말이 왜 눈물 나는 걸까? 나는 아빠의 선물을… 아니, 아빠의 '유언'을 잘 키우기로 했어.

10월 10일 날씨 신선한 햇살.

귀여운 친구를 집으로 데리고 왔지만, 아직은 서로 너무나 어색한 것 같아. 일단 내가 많이 노력해야겠지? 흠… 우선 이름을 지어주어야겠다. 내 이름이 '영원희'니깐 '우리 영원히 함께하자'는 의미에서 '우리'로 지을래. 우리야, 이제부터 행복해지자.

10월 17일 날씨 감성적인 흐림.

더는 엄마한테 미련을 갖지 말자고 생각했는데… 나도 모르게 궁금해서 찾아갔었어. 아빠의 장례식장에 오지 않은 엄마는 그러려니 했는데… 아빠와 내가 언제 있었냐는 듯이 다른 남자와 행복해 보이는 엄마를 보니, 확실해졌어. 엄마는 나에게 처음부터 존재하지 않았던 사람이라는 걸. 왠지 쓸쓸하면서도 나도 모르는 감성적인 미소를 짓게 되더라. 집에 오고 이상한 생각들 때문에 감상에 빠졌었는데 '우리'가 '낑낑' 소리를 내며 허공을 보고 있었어. 혹시 우리도 엄마가 궁금해서 그러는 걸까? 자신을 물어 죽이려 했던 엄마지만 보고 싶거나 궁금할까? 나는 우리를 꼭 안

아줬어. 그리고 속으로 생각했지. 마지막으로 딱 한 번 보고 싶은 거라면 내가 꼭 찾아볼게.

10월 28일 날씨 선선한 바람.

우리의 엄마를 찾았어. 그래서 우리와 함께 우리의 엄마가 있는 곳으로 갔지. 우리는 엄마를 보며 무슨 생각을 하는 걸까? 그래도 우리가 홀가분해진 것 같아서 정말 좋았어. 그리고 그런 우리를 보면서 나 또한, 선선한 바람에 아픔이 조금 씻겨나가는 것만 같았지. 우리야, 이제 내가 너의 엄마가 되어줄게.

11월 17일 날씨 시원하고 따뜻한 바람.

오늘은 11월답지 않게 따뜻한 바람이 불고 날씨가 좋았어. 그래서 우리와 함께 산책하러 나가기로 했지. 잔디밭에서 우리와 함께 뛰어놀면서 도시락도 먹고 지나가는 사람들도 구경했어. 어떻게 보면 우리와 함께하는 게 마냥 좋은 것인지도 모르겠어. 사랑하는 '우리'야, 앞으로도 나와 함께해주길 꼭 부탁해.

11월 23일 날씨 맑음.

나에게 사랑이 무엇인지 알려주셨던 아빠는 돌아가셨지만, 아빠는 나에게 '우리'를 남겨주셨지. 아빠가 왜 나에게 '우리'를 주셨는지, 이젠 확실히 알 것 같아. 아빠, 죄송해요. 이젠 아빠가 그립지 않아요. 내가 사랑하는 우리야, 언제나 고마워.

12월 01일 날씨 어두움.

오늘 건강검진을 받았는데… 아, 잘못하면 청력을 잃을 수도 있는 상태라고 의사가 말했어. 정확한 건 자세하게 더 검진을 받아야 알 수 있다고 하지만… 너무 무서워. 내 '음악의 꿈'을 접어야 할지도 모르는 걸까? 나도 모르게 눈물이 계속 나와. 너무 무서워서 우리를 끌어안고 계속 울었어. 그랬더니 우리가 평소에 보여주지 않았던 애교를 부렸어. 그 애교에 난 웃을 수밖에 없었지. 우리야, 매번 고마워.

12월 12일 날씨 눈.

오늘은 눈이 내렸어. 아 그리고 보니 첫눈인가? 우리는 아직 눈을 본 적이 없겠지? 그래서 눈을 보여줬어. 우리는 이리저리 뛰어다니며 기뻐했어. 난 첫눈에 소원을 빌었지. '꼭 음악을 할 수 있게 도와주세요.'

12월 22일 날씨 쌀쌀함.

내 청력에 대해서 좀 더 세밀하게 검진한 결과가 나왔어. 참… 이럴 수 있는 걸까? '알레르기 반응으로 인한 청력감소.' 몇 번을 읽어봐도, 아무리 다시 봐도 같은 내용…

'알레르기 원인, 개털에 의한 중이염 반응.'

12월 23일 날씨 매서운 추위.

아주 잠깐이었지만, 우리와 '내 꿈'을 저울질했어. 그게 너무 미안해서 우리를 위한 간식을 사줬어. 좋아하는 우리를 보며 난 생각했지. '역시, 나에겐 우리밖에 없어.'

12월 25일 날씨 별이 반짝임.

크리스마스를 우리와 함께 보내서 정말 기뻐. 크리스마스트리도 만들면서 분위기를 한껏 내봤는데, 우리가 좋아하는 것인지 모르겠어. 케이크에 불을 붙이고 우리에게 소원을 빌라고 했는데, 우리는 뭘 빌었을까? 나는 알레르기가 사라지길 빌었어.

01월 01일 날씨 눈.

벌써 새해구나. 새해니깐 목표를 새워야겠지. 우선 다이어트를 올해엔 성공해야겠지? 물론 내가 원하는 음악도 올해엔 잘해봐야지. 점점 귀가 안 좋아지는 것 같지만, 아직은 괜찮으니깐 힘내야지!

01월 29일 날씨 매우 추움.

추운 날씨지만, 알레르기 때문에 밖에서 음악 공부를 많이 했더니 감기에 걸려버렸어. 꼼짝없이 집에서 쉬어야겠네. 우리는 건강해 보여서 다행이야.

2월 15일 날씨 초조한 바람.

결국, 귀가 많이 어두워졌네. 이젠 우리가 사라지면 어디에 있는지 알기 어려워졌어. 그래서 우리에게 방울을 선물했어. 방울 소리를 집중해서 듣다 보면 귀가 좋아질지도 모르잖아. 난 할 수 있어.

3월 30일 날씨 아주 맑음.

귀가 계속해서 안 좋아지고 있어. 하지만 우리를 맡길 곳도 없고 어떡해야 할지 모르겠어. 이대로 괜찮을까? 역시 우리와 함께하는 건 '내 욕심일 뿐일까?' 아니야 우리는 내 '자식'이야. 절대 버리지 않을 거야.

4월 04일 날씨 봄비.

오늘은 일찍 잠드는 바람에 꿈을 꿨어. 그런데 꿈에 우리가 나왔어… '우리가 나를 막 물어뜯는 괴기한 꿈이었어.' 나는 꿈속에서 괴로워하며 이런 말을 했어. "너 때문에 '내 꿈'을 포기하게 생겼는데, 이게 무슨 짓이야!" 그러자 우리는 웃으며 사라졌어. 꿈이 너무 불길해서 잠에서 깨버렸어. 그런데 이게 무슨 일이야… 도대체 뭐가 어떻게 된 거지?… '내가 첫눈이 왔을 때 빌었던 소원 때문일까?' 아니면 '크리스마스 때 빌었던 소원 때문에?' 그것도 아니라면 '방금 꾼 꿈에서 내가 한 말 때문에?' 이게 뭐야…
왜 우리가 칼에 찔려서 피를 흘리고 있는 거냐고! 이상
해… 이건 현실이 아닐 거야, 그럴 거야…

눈물이 흐르고 있었지만, 내가 뭘 어떻게 해야 할지 모
르겠어. 어떻게 해야 하는 거야? 그런데 우리는 이런 나에
게 '낑낑'거리며 말을 하는 거 같아… 그 말이 왠지 나를
위로하는 거 같아서 너무 아파, 마음이 너무 아파!

나에겐 우리뿐인데… 이건 아니야.

우리야, 미안해. 엄마가 정말 미안해.

"내 꿈 때문에 너를… 너를 고민했던 나를 제발 용서해
줘."

저마다 세상을 살면서.

저 자 宋晛奎

⌐ 역할

날씨 좋고, 조수간만 좋은 날. 아버지와 새벽 낚시를 나선 적이 있었다. 그날 아버지는 콧노래를 흥얼거리시며, 기분 좋은 미소로 탈탈거리는 트럭에 시동을 걸고 낚싯대를 챙기시고 있었다.

나는 잠귀신이 들러붙은 게으른 사람이라서 기분 좋은 표정으로 나오지 못했다. 찡그린 인상을 하고 대충 씻었다. 옷도 대충 집어서 대충 입었다. 그리고 나와서 탈탈거리는 아버지의 트럭 조수석에 앉았다. 잠이 덜 깬 게 분명해서 다시 눈을 감았다. 그러자 아버지가 말씀하셨다.

"인마, 낚시하려면 미리 잠을 깨야지. 또 자면 되겠냐?"

나는 마음속으로 비명을 지르며 아버지께 말했다.

"아으, 도착하면 잠 다 깰 겁니다. 그 전까지만 잠 좀 잘게유."

나는 낚시를 좋아하지만, 잠에 너무 약하다. 하지만 이날은 조수간만 때문에 새벽에 나가야 했다. 그래야 아침에 한번, 오후에 한번 총 두 번의 낚시를 할 수 있기 때문이다.

난 너무나 졸려서 다시 눈을 감았다. 지직거리는 라디오 소리가 점점 집중이 안 되고 다시 잠이 들려 할 때 아버지께서 말씀하셨다.

"좋은 말로 할 때 그냥 일어나라. 아버지랑 대화도 하면서 가야지."

난 피곤한 눈을 억지로 비비며, 잠을 깨는 데 집중했다. 그런데 가는 내내 대화는 없었다. 내가 먼저 아버지께 말을 건네도 보았지만, 아버지는 단답형으로 말씀하시거나 대답이 없으셨다. 낚시하러 가다가 아버지께 낚인 기분이었다. 하지만 상관없었다.

어느새, 고요한 정적을 깨는 바다가 보이기 시작했다. 늙을 대로 늙어버린 트럭은 고불고불한 비포장도로를 거침없이 들어가고 나는 덜컹덜컹 흔들렸다. 흔들림이 잔잔해질수록 아버지와 자주 가던 바닷가는 가까워졌다.

트럭이 바닷가에 도착하자, 덜컹거리지 않았다. 하지만 아버지는 여전히 말씀이 없으셨다. 그 대신 아버지의 표정은 기분 좋은 미소를 띠고 있었다.

"네 낚싯대하고 가스버너, 도마 챙겨서 내려가라. 나머지는 내가 챙겨서 내려갈게."

"예~"

나는 이때 슬슬 잠이 깨면서 기분이 좋았던 것 같다. 콧노래를 부르며 낚시터로 내려갔었다. 내려가다가 꽤 큰 '참게'를 보고 소리친 기억도 있다.

"아버지! 여기 게 한 마리 있습니다~"

"그래? 잡아, 라면에 넣어 먹자."

현재 손에 들린 물건이 생각보다 많아서 참게까지 잡고 가기엔 버거울 것 같았지만, '부전자전.' 참게를 넣은 라면은 놓칠 수 없는 별미였다. 결국, 무리하게 시도하다가 넘어지고 약간의 상처를 입게 되었다.

"괜찮냐?"

아버지는 덤덤한 표정으로 말씀하셨다. 그때 나는 놓쳤던 게를 다시 잡으며 말했다.

"괜찮아요!"

아버지는 나를 보며 호탕하게 웃으시더니 말씀하셨다.

"멍청한 놈… 도마 줘. 내가 가지고 갈게. 허허허."

본격적으로 낚시를 시작하기 전에 아버지와 나만의 아지트를 만들어두고 가스버너에 불을 올렸다. 예전부터 항상 그랬듯이 찌글찌글한 양은냄비에 물이 끓어오를 때, 라면과 수프를 넣고 다시 기다렸다가, 보글보글 맛있는 방울이 보이면 미리 준비한 참게와 어슷하게 썬 대파, 달걀을 넣고 뚜껑을 닫았다.

나는 예전부터 매번 이 순간에 이런저런 생각을 하면서 달콤한 기다림을 해왔던 것 같다. 그런데 이날은 아버지께서도 생각이 많으셨는지 말이 없으셨다. 이때의 장면을 약간 멋지게 표현해보면 '두 남자가 말없이 새벽 바다 앞에서 라면을 익혀가는 동안, 소나무 사이로 눈부신 아침이 스며들고 있었다.' 정도로 표현되지 않을까 생각한다.

라면이 다 익고 침묵의 젓가락질이 수십 번 오갔다. 참게로 우려낸 라면과 상쾌한 바닷바람에 넘어가는 막걸리 한잔은 본격적인 낚시를 시작하기에 충분했다. 낚시가 시작되고 나서는 어느 정도 말이 오갔는데 이런 내용이었다.

"아따! 잡혔다."

"큰놈이에요?"

"…"

"한 마리 걸렸습니다~!"

"크냐?"

"…"

정확히 이 정도였다. 하지만 시간은 빠르게 흘러 몇 마리 잡다 보니 점심시간이 되었다. 아버지께서는 오전에 잡았던 우럭 몇 마리를 손질하셨다. 머리는 라면에 넣고 몸통은 회를 쳐서 점심을 해결했다.

낚시가 왜 좋은지 생각해보면 싱싱한 별미와 시원한 바

닷바람, 경쾌하게 부서지는 파도 소리 등의 운치가 있어서 재미있게 즐길 수 있기 때문이다.

점심을 먹으면서는 아버지와 꽤 대화를 나누었다. '어디가 잘 잡히는 것 같더라.', '물이 들어오고 있으니 조심해야 한다.'라는 대화들로 조용하지 않았다. 하지만 점심의 여유도 잠시일 뿐이다. '만찬'을 위한 오후 낚시를 곧바로 시작해야 하니까.

오후 낚시에 돌입한 나의 머릿속엔 한가지뿐이었다.

'우럭구이, 고추냉이 간장… 크으!'

난 명당 같아 보이는 곳을 찾아서 수심이 깊은 곳에 낚싯대를 넣고 입질을 기다렸다. 아버지께서는 그런 나를 보더니 이상한 질문을 하였다.

"넌 아버지의 역할에 대해서 아느냐?"

그 시절, 나는 그 질문에 답하기에 너무 어렸다. 또 내가 그땐 아버지가 아니었기 때문에 대답할 수 없는 질문이라 생각했었다.

"그걸 제가 어떻게 알겠어요?… 아버지께서 더 잘 아시겠죠?"

나의 말에 아버지께서는 멋쩍은 미소를 지으며 다시 물으셨다.

"굳이 나의 역할 말고… 이 지구 위에 아버지의 역할이 대충 무엇인지 알겠냐는 질문이야. 모르겠냐?"

나는 이 질문에도 매한가지였다.

"그러니까요… 제가 아버지인 적이 없는데 어떻게 알겠어요? 아버지는 잘 아시겠죠. 하하하…"

그런데 아버지께서는 내 대답에 씁쓸한 표정을 지으며 이런 말씀을 하셨다.

"네 말대로라면 난 알아야 하는데, 모르겠구나… 아따! 한 마리 걸려들었다."

아버지께서 이런 말씀을 하시니, 난 이런 생각을 했었다.

'아버지께서는 아버지(할아버지)를 일찍이 여의셔서 모른다고 답하신 걸까?', '아버지는 할아버지 없이 할머니와 자라셔서 그런 걸까?', '그러한 아버지 밑에서 성장한 나 또한, 아버지의 역할에 대해서 알 수가 없는 것인지도 모르겠네…'

내가 이런저런 생각에 잠겨서 곰곰이 고개를 갸웃거릴 때, 아버지께서 방금 잡은 우럭 놈이 큰놈이라며 좋아하시다가 진지한 표정을 지으며 말씀하셨다.

"그런데 이젠 알 것 같다… 아버지의 역할에 대해서."

아버지께서는 이 말씀을 하신 후, 낚싯대를 부여잡고 낚싯바늘을 바닷속으로 던지며 말씀하셨다.

"이렇게 좋은 아들이 있어서, 아버지의 역할에 대해서 알겠구나."

이때 정말 신기하게도 그 말을 들으니… 아버지의 역할에 대해서 눈곱만큼도 알 리 없었던 내가, 아버지의 역할에 대해서 조금은 알 것만 같았다.

그날 저물어가는 저녁노을과 함께 먹었던 우럭구이는 짭
짜름하고 질긴 맛이었지만, 왠지 '멋진 맛'이었다.

⚱ 모르는 문제를 찍다

선선한 바람이 부는 오늘날, 놀러 가고 싶은 마음이 굴뚝같았으나 '풀어야 할 문제가 있기에' 놀러 가지 않았다. 하지만 이 문제는 중요한 문제가 맞는데, 왜 난 풀어야겠다고 생각했으면서 사전에 공부하지 않았을까?

 '시간이 없어서 혹은 내가 잘 모르는 분야'여서라고 핑계를 대기엔 지하철에서 보내는 출퇴근 시간과 '스마트폰'이 있다. 그런데 참 웃기다. 미리 공부하지 않은 것에 대한 후회나 경각심은 전혀 들지 않는다. 그렇다고 이 문제가 정말 중요하지 않은 문제가 아닌데 말이다. 결국, 중·고등학교에서 모르는 시험문제를 풀듯이 찍어야 할까? 그런데 생각해보면 모르는 문제는 풀지 않는 게 정석인데, 어째서 찍으라고 강요받았을까?

잠깐 과거를 떠올려 보면, 나는 중학교 시절에 모르는 문제가 있으면 찍지 않고 답을 전혀 적지 않았다. 그런데 아는 문제가 하나도 없던 영어시험을 치르고 난 뒤, 영어선생님은 마치 내가 들라는 식으로 '교실에 있는 모든 아이'에게 이런 이야기를 했다.

"누구라고 말하진 않겠지만, 시험을 정말 성의 없이 보는 아이가 있더라. 시험지를 어떻게 그냥 백지로 낼 생각을 하지? 시험이 장난이니? 앞으로는 최소한 찍어서라도 제출했으면 좋겠구나."

그날, 이 말을 듣고 들었던 생각은 '몰라서 풀지 않고 신중하게 제출한 시험지와 다 모르지만 대충 찍어서 제출한 시험지 중에서 성의 없는 시험지를 고르시오.'라는 문제가 출제되었을 때 과연 누가 대충 찍은 답안지를 고를 것이며, '대충 찍은 답안지에서 성의를 찾는 선생님의 생각은 무엇일까?'라는 의문이 들었다.

하지만 난 그날 이후로 모르는 문제를 찍어서 제출했다. 내가 시험지 및 답안지를 낼 때마다 선생님들이 '대충 찍은 시험지 및 답안지'에서 내 성의를 열심히 찾길 바라는 마음으로.

과거까지 떠올리고 나니, 난 정말이 고민이 됐다. 오늘도 이 문제를 대충 찍어서 '출제자들'에게 '그래도 저는 찍어서라도 풀었습니다. 성의를 봐주세요.' 그런 생각을 해야 할까? 하지만 그러기엔 이 문제는 학교시험문제 따위가 아니다. 학교시험문제는 나만 피해 보면 그만이지만, 이 문제는 아무 생각 없이 풀었을 때 많은 사람이 피해를 볼 수 있다.

하지만 고민할 수 있는 시간도 많지 않다. 내가 이렇게 수많은 고민을 하는 사이 뒤에서 기다리는 '수많은 사람' 이 빨리 나오라고 윽박질을 해대니깐.

"아, 좀! 빨리 찍고 나옵시다."

결국, 난 윽박질에 못 이겨서 대충 찍고 나왔다.

나는 이 선택을 후회하지만, 다음 선거에서도 자연스럽게 후보들의 소속 정도만 알고 투표할 것이다.

관심도 없는 분야에 투자할 시간이 이번에도 없었듯이,

다음에도 없을 것이다. 어차피 뭐, '투표만 하면 아무 생각 없어도 박수받는 이 사회'가 아닌가? 'SNS'에 투표했다고 인증만 해도 내가 '무슨 생각을 가지고 투표했냐는 질문 따위' 없이, '좋아요'를 누르며 '멋지다'고 해주는 사회니까.

나의 아무 생각 없는 선택을 질타하지 않고 오히려 투표해서 잘했다고 응원해주는데, 알량한 죄책감마저 있을 리가 없다. 그래서 다음 선거에서도 아마 난 대충 찍을 것이다. 하지만 이렇게 '성의 없고' '하는 것만 못한 투표'를 해놓고 난 투덜댈 것이다.

"내가 열심히 살면 뭐해? 정치하는 사람들이 개판인데."

혹시라도 '내가 좋아하는 숫자가 3번이라 3번을 찍고, 매번 나왔던 사람인데 계속 낙선하는 모습이 불쌍해서 찍어주고, 같은 고향 출신이라 찍어주고, 대학교 동문이라서 찍어주고, 같은 여성이라서 찍어주고 등등…' 이렇게 투표한 사람 있는가? 괜찮다! '아무 생각 없이 투표조차 안 한 사람'보다는 분명 낫지 않은가?

"난 매번 투표도 하고, 세금도 꼬박꼬박 내는데 우리나라는 변하는 게 없어."

아무 생각 없이 투표했어도 그 말은 사실이니까. 이 사회는 충분히 투표한 것만으로도 나라에 공헌했다고 생각하니까. 그렇게 말해도 상관없다. '모르는 문제'는 늘 그랬듯이 찍어요. '운 좋아서 정답이 나오길 기대해요.'

우리말 사람

이 이야기의 주인공은 10월 9일에 태어났다. 즉, 한글날에 태어난 한 남자의 이야기다.

이 남자는 인터넷과 함께 찾아온 '신조어'들로 인해서 한글이 망가질 대로 망가졌다고 생각했다. 한글날이 생일이어서 그럴지도 모르지만, 분명한 건 이 남자가 우리나라의 언어를 특별히 사랑하고 매우 자랑스러워했다.

이 남자는 초등학교 시절에 망가져 가는 우리나라의 언어가 싫어서, 자신만은 반드시 신조어를 쓰지 않겠다고 다짐했다. 그래서 그의 친구들은 그가 아빠 같은 말만 골라서 한다며 별명을 지어줬는데, 그 별명이 'ugly father'를 신조어처럼 줄인 '어빠'였다. 안 그래도 신조어를 싫어하는 그에게 그들이 멋대로 붙여준 이 별명은 너무나 치명적이었다. 그 시절, 별명 따위가 많은 사건을 불러올 줄은 그 누구도 몰랐을 것이다.

가장 대표적인 사건은 그가 초등학교 4학년 때, 처음으로 '이 별명의 참뜻을 알게 되어서 일어난 사건'이다. 그는 그동안 이 별명으로 본인을 놀렸던 아이들을 전부 찾아갔다. 찾아가기만 했다면 '큰 사건'이 되지 않았겠지만, 그는 한 명도 놓치지 않고 그 아이들을 폭행했다. 아무 생각 없이 놀고 있었던 아이들은 무방비상태로 일방적인 폭행을 당했다. 그 결과, 많은 피해자가 생기는 바람에 이 일이 학부모들과 선생님들에게 알려졌다. 그리고 초등학교에 걸맞지 않은 징계위원회가 열렸다. 그래서 학교 전체가 발칵 뒤집힌 이 사건이, '가장 대표적인 사건'이라고 할 수 있다.

그 이후로도 여러 가지 사건이 있었지만, 그는 착실하게 초등학교 생활을 이어갔다. 하지만 어느 날, 그는 모르고 지나쳤던 한 가지 사실을 알게 된다. 그것은 바로 '외래어'였다. 한글을 망치고 있는 것은 신조어뿐만 아니라, 외래어도 한몫을 하고 있다는 사실을 알게 된다. 그래서 그는 초등학교 졸업 전 겨울방학 때 외래어를 대신할만한 순우리말을 열심히 공부했다. 외래어 중 대신할만한 순우리말이 없으면 여러 가지 순우리말을 조합해서 대체하려고 하는 등, 외래어를 일절 쓰지 않기 위해 노력했다.

그가 이러한 노력을 하는 동안 겨울 방학은 순식간에 지나가 버렸다. 그는 어느덧 중학교에 입학했다. 중학교에 입학한 그가 제일 먼저 했던 일은 영어 교과서를 찢어버리는 일이었다. 그가 영어 교과서를 찢은 이유는 아주 간단한 이유였다.

'아직 한글도 다 모르는데, 외국어를 배운다는 것은 있을 수 없는 일이지.'

이것을 실천하는 '미친놈'은 당연히 이 남자뿐이었다. 그런데 그는 영어 교과서를 찢어버린 것도 모자라서 영어 시간마다 수업도 듣지 않았다.

그가 영어 수업을 듣지 않는 건 '외래어'와 '신조어'의 문제가 아니었다. 그게 문제였다면 '모든 과목을 듣지 않았을 것이다.' 그저 그는 스스로 한글에 대해서 만족하기 전까지는 다른 나라의 언어를 배우기가 싫을 뿐이었다.

그가 그렇게 중학교 1학년을 마칠 무렵, 당연한 이야기지만 고의적인 영어수업결석과 영어시험불참은 '유급'으로 이어졌다. 하지만 그에겐 반사회적으로 보일 만큼 강력한 우리말 사랑이 있었다. 그리고 그는 친구도 없었지만, '초등학교 때의 무성한 소문' 때문에 딱히 괴롭히는 사람도 없었다.

학교생활이 그다지 괴롭지도 않은 상태에서 미래보다 현재의 우리말이 중요한 그에게 유급은 그저 '아, 그렇구나.'

정도의 시시콜콜한 일이었다. 그런 그가 미친 듯이 '우리말을 100%에 가깝게, 스스로 만족할 만큼 익히기까지는 정확히 2번의 유급이 더 있었다.' 그래서 그는 20살 나이로 고등학교에 입학했다.

그가 고등학교에 입학했을 때엔 각종 외래어와 신조어는 거의 모르는 말이 되어버렸다. 그래서 그는 학우들의 이야기뿐만 아니라, 선생님의 수업까지도 제대로 이해할 수 없었다.

그가 열심히 연구하고 사랑한 말은 '순우리말'이다. 그런데 그는 외국에서 오래 생활하면서 모국어를 잃어버린 사람처럼, 우리나라에서 다른 사람과 대화하기 힘들었다. 대화가 되지 않았다. 그는 우리나라에서 부닥치고 부대끼며 사는데도, '외래어와 신조어를 들으려조차 하지 않았기 때문에' 그렇게 되어버린 것 같았다. 그는 이때부터 철저히 혼자가 되어가고 있었다.

그가 외롭게 고등학교를 졸업하고 가장 먼저 한 일은 군대 입영신청이었다. 하지만 도가 지나칠 정도로 집착하는 '우리말 사랑'은 그에게 군대를 허락하지 않았다. 신체검사 결과 그가 정신장애 판정을 받음으로써 군대를 면제받게 되었다.

그가 고등학교도 졸업하고 군대도 면제받게 되자, '이제 선택하는 삶'을 짊어지게 되었다. 그동안에 그의 삶을 '타지에서 안내를 받듯이' 조그마한 힌트들과 일정한 흐름이 있었다고 가정한다면, 그의 '지금부터의 삶은 안내가 없었다.' 그 어떤 흐름도 없이 본인이 개척해야 하는 삶이 그의 나이 23살에 찾아왔다. '이러한 삶'이 시작되자 그는 깨달았다. '순우리말'만 완벽하게 이해하고 사랑하면 행복할 것 같았지만, 행복하지 않은 냉혹한 현실을.

따지고 보면 엄청난 천재성을 가지고 태어난 그였지만, '사회의 시선은 정신장애 판정을 받은 정신장애인'일 뿐이었다.

정신장애인인 그가 우리나라에서 할 수 있는 것은 많지 않지만, 없지도 않다. 그러나 그는 자신이 미친 게 아니라 세상이 미쳤다고 생각하는 사람이었다. 하지만 그는 계속해서 냉혹한 현실의 벽에서 방황하면서 조금씩 지쳐갔다. 너무나 지쳤던 그는 어느 정도 이 세상과 타협하기 위해 '순우리말'로 이력서를 작성했다. 물론, 그 이력서는 쓸모없는 종잇조각이 되었다.

결국, 완전히 이 세상에서 혼자가 된 그는 눈이 수북하게 쌓인 초등학교 운동장에서 자신이 '동사(凍死)'하기를 기다렸다. 음식물 쓰레기를 먹으며 별이 반짝이는 밤하늘을 이불 삼아서 잠들었던 거리의 생활 자체가… 이젠 지칠 대로 지쳐버린 그였다. 또 그는 이미 진작에 더 연구할 수 있는 우리말도 없었고, '우리말로 인하여 행복한 적도 없었다.' '평생 불행을 위해 산 그'가 삶의 이유를 찾을 수 있을 리가 없었다.

죽어가고 있던 그의 눈에 한 꼬마가 날리고 있던 '연'이 눈에 들어왔다. 그는 죽기 전에 하늘을 나는 연을 보며 생각했다.

'종이 장난감이 날고 싶어서 날까?, 날리니까 날까?'

그는 후회만은 하지 않으려 했지만, 끝내 이 세상에 마지막 한숨을 내쉬며 후회했다.

'때론 바람이 가는 대로 가볼걸. 외로우면 외롭다고 말하고 사는 게 힘들면 힘들다고 말할걸. 나도 가끔은 대화하며 살아보고 싶었는데…'

인간의 상상력은 무한할지라도
인간이 사는 세상은 결국, 유한하겠지.

저 자 宋畋奎

E·R·M

허름하고 오래돼 보이는 한 술집이 눈에 들어왔다. 난 스스로 돈에 얽매이는 삶이라고 비판하지만, 가끔의 휴식을 돈으로 주고 산다. 이런 모순된 나의 모습이 마치 저 술집 같아 보였다. 정말 이상한 생각이었지만, 희한한 이끌림에 난 허름한 술집으로 들어섰다.

지금 시각은 이리 치이고 저리 치이며 구박받은 회사에서 퇴근한 오후 8시. 피곤하지만 확실히 정신은 깨어있는 시간… 난 이 허름한 술집의 메뉴판을 보았다. 그런데 메뉴판엔 가격표도, 술 이름도 없었다. 단지 세 가지 단어만이 적혀있었다. '소원', '고민', '이야기.'

나는 술집 주인처럼 보이는 기괴한 여자에게 물어보았다.

"저기⋯ 혹시 여기 술집 아닌가요?"

그러자 40대로 보이는 기괴한 여자가 나를 보며 넌지시 웃더니 대답했다.

"원하시면 술도 팔아드리죠."

도대체 이곳이 뭐 하는 곳인지 나는 전혀 알 수 없었지만, '테킬라 한 병'을 달라고 그 여자에게 부탁했다. 그러자 이 여자는 거미줄이 쳐져 있는 나무상자에서 정말 오래돼 보이는 테킬라 한 병과 스트레이트 잔, 소금, 커피가루를 가지고 내가 앉은 긴 테이블에 앉았다. 어떤 술집에서도 본 적 없는 괴상한 모습에 나는 잔뜩 긴장한 표정으로 많은 생각을 했다.

'그냥 나갈 걸 그랬나?⋯ 술이 썩었을 것 같은 먼지 수북한 테킬라는 뭐지.', '보통은 맞은편에 앉지 않나? 왜 내 옆에 앉는 거지?', '구불구불한 머리카락과 새빨간 네일아트, 새빨간 입술화장⋯ 한 달 정도 굶은 것 같은 엄청 마른 몸매에 어울리지 않는 검붉은 원피스까지 전부 이상해⋯', '늦기 전에 술값 물어보고 대충 비싸다고 하면서 돌아가야겠다.'

생각하고 생각하던 끝에 나는 기괴스러운 여자를 쳐다보며 말했다.

"혹시 술값은 얼마인가요? 메뉴판에 가격도 없고 이상한 것만 적혀있어서 모르겠네요. 하하…"

그러자 여자는 내가 살면서 한 번도 들어보지 못한 소름 끼치는 웃음소리를 냈다. 기분 나쁘고 오싹해서 버티기 힘들 때쯤에, 여자는 웃음을 그치고 나에게 말했다.

"돈은 받지 않아요. 그리고 당신은 이곳에 들어온 순간부터 충분한 값을 내고 있어요."

나는 그녀의 답변에 빠져나갈 구실을 찾지 못했지만, 최소한 저 테킬라만큼은 도저히 마실 수 없었다.

"그러면 술은 됐어요. 여기 있는 메뉴를 주문하면 뭐가 나오나요? 아 참, 돈은 받지 않는다고 했죠?"

"그럼요. 돈은 받지 않아요. 뭐로 주문하시겠어요? 주문하면 설명해드리죠."

나는 메뉴판에 적혀있는 단어 중에서 제일 만만해 보이고 복잡하지 않을 것 같은 '이야기'를 선택했다. 그러자 그녀는 커피 가루를 씹어 먹으며 은은한 미소로 말했다.

"이 메뉴는 굳이 설명할 필요가 없지만, 간단하게 요점만 말할게요. 제가 당신이 좋아할 만한 이야기들을 들려드리는 서비스에요. 만약, 제 이야기가 듣기 싫으실 때 '이제 그만 듣고 싶다고 말씀하시면 돼요.' 아주 간단하죠?"

나는 고개를 끄덕이며 알겠다는 표정을 지었다. 조금 무서웠지만, 적당히 '이야기'를 들어주다가 집으로 가면 별탈 없을 거라 믿었다. 또 썩은 테킬라를 마시는 것보다 훨씬 좋다고도 생각했다. 더구나 돈이 들어가는 것도 아니니

큰 부담마저 없었다.

그런데 정말 뜻밖에도 이 기괴한 여자가 들려주는 '이야기'가 너무나 재미있었다. 적당히 들어주다가 집으로 가겠다는 생각은 자연스럽게 달아나버렸다.

내가 잘 알지 못했던 특이한 사건, 사고와 어느 한 색골의 방탕한 이야기, 정치계의 숨겨진 뒷이야기… 등 그녀의 이야기는 어떤 분야라도 하나같이 매우 세밀하고 정교했다. 마치 측정기처럼 한 치의 오차 없이 매우 매끄럽고 훌륭했다. 또 초대형 포도주 통에서 나오는 포도주를 즐기듯이 생동감 넘치는 이야기가 끝없이 이어졌다.

그녀의 이야기에 빠져서 웃고 떠들며 즐거워하다가, 문득 한 생각이 내 머릿속을 스쳤다.

'그런데 지금 시간이 얼마나 지난 거지?'

난 시계를 보려다가 그만두었다. 너무 늦은 시각일까 봐 두려워서 도저히 시계를 볼 수가 없었다. 야속한 이 세상에 대해서 아쉬움을 느끼다가 말도 안 되는 생각을 해보았다.

'아, 시간을 멈출 수 있으면 얼마나 좋을까?'

이때 정말 웃기게도 메뉴판에서 보았던 '소원'이라는 단어가 떠올랐다. 이건 더더욱 말도 안 되는 생각이었지만, 혹시나 하는 마음이 그녀에게 물었다.

"혹시 메뉴를 변경해도 될까요?"

그러자 그녀는 내가 술값이 얼마인지 물었을 때처럼, 소름 끼치는 웃음소리를 냈다.

"물론이죠."

나는 잠시 머뭇거렸다. 하지만 이내 메뉴판에 손가락을 까딱거리며 말했다.

"소… 소원을 주문하고 싶은데요."

그녀는 악마가 지었을 법한 흉물스러운 미소를 지으며 '낄낄' 소리 냈다. 얼마 후, 기괴한 웃음을 그치더니 커피 가루를 한 움큼 움켜 들었다. 움켜 들었던 커피 가루를 입에 쑤셔 넣으며 '와그작와그작' 씹어댔다. 그런 그녀의 모습은 너무나도 소름 끼치고 흉물스러웠다. 그런데 그녀는 한참을 그러더니, 나지막하게 말했다.

"당신의 소원은 무엇이죠?"

나는 헛웃음을 지었다. 그리고 '내가 잠시 미쳤었다'는 생각을 했지만, 밑져야 본전이라는 말을 되새기며 긴장된 목소리로 말했다.

"시간을 멈추고 여유롭게 당신의 이야기를 즐기고 싶어요."

그녀는 기괴스럽던 모습을 감추고 의아하다는 표정을 지었다.

"그런 게 가능할 리가 없잖아요."

그녀가 처음으로 보이는 정상적인 반응에 안심이 되다가도 이내 불안해졌다. 그리고 왠지 실망스러웠다. 나는 한동안 어떤 말도 하지 않고 곰팡이가 슬어있는 커피 가루와 소금을 쳐다보았다. 그녀는 잠시 생각하는 것 같더니 바로 입을 열었다.

"시간을 멈추는 일이 아니라면 뭐든지 가능해요."

나는 대놓고 어이없다는 듯이 웃으며 그녀에게 말했다.

"제가 잠시 분위기에 취했었나 봐요. 이상한 소리 해서 미안했습니다."

나는 자리에서 일어났다. 그리고 이야기 도중에 벗어뒀던 외투를 다시 입었다. 그러자 그녀가 말했다.

"돈은 받지 않아요. 지금 당신에게 가장 중요한 건 돈 아닌가요? 돈이 드는 것도 아닌데 한번 말해보세요."

여자의 말에 나는 자존심이 상하며 살짝 화가 나버렸다.

"그러면 돈이 없는 세상에서 살게 해줘 봐요! 아무리 일을 잘해도 똑같은 보상은 싫으니까. 돈 따위 없고 오직 일 잘하면 장땡인 세상, 그런 세상이 있으면 살게 해줘."

내 말이 끝나자마자 그녀는 예리하게 웃었다. 그 순간, 갑자기 내 머리가 토할 듯이 어지러웠다. 너무나 고통스러워서 바닥에 쓰러져버렸다. 그런데 느낌이 너무나 낯설고 이상했다. 내가 알고 있는 바닥은 절대 이런 느낌일 리가 없는 특이한 감촉. 당황한 나는 정신이 번쩍 들어서 곧바로 일어났다.

"뭐야… 이게…"

난 분명히 찰나의 순간에 쓰러졌다가 일어난 것뿐인데 술집이 아닌 괴상한 침대 위에서 일어났다. 그리고 내 손목에는 내가 차고 있던 시계가 아닌 '이상한 기계'가 채워져 있었다. 이 기계는 내 손목 살 속에 파고들어서 깊숙이 박혀있었다. 기계를 빼려고 안간힘을 썼지만, 도저히 뺄 수가 없었다.

모든 게 낯설고 미쳐버릴 것만 같아서 냉정하게 생각해 보았다.

'그래, 나는 분명히 허름한 술집에 갔었어. 그런데 여긴 어디지? 아, 그래! 우선 날짜와 시간을 보자.'

천천히 침대에서 내려온 나는 이리저리 둘러보다가 바지 주머니에서 휴대전화를 꺼내 들었다. 그리고 매우 조심스럽게 휴대전화를 작동시켰다.

'내가 술집에 들어간 날이 4월 26일 월요일이었고… 지금은 4월 27일 화요일 아침 7시… 아, 맞다! 회사!'

이곳이 어딘지도 모를뿐더러, 꿈인지 생시인지도 모르는 위험한 상황에서 회사를 가야 한다는 생각을 한 내가 너무나 바보 같았다. 울컥했지만, 우선 이곳을 나가야겠다는 생각은 변함없었다. 그래서 이상한 침대가 있는 이 집 현관 문고리를 살포시 잡았다. 그리고 천천히, 아주 조심스럽게 문을 열어보았다. 그런데 문을 나가서 본 것은 설마 했던 익숙한 현관문이었다.

'여긴… 내가 예전에 살던 원룸이잖아.'

내가 침대가 괴상하고 이상하다고 생각한 건 예전에 썼던 침대를 닮았기 때문이었다.

모든 상황이 나를 정신적으로 압박하려 할 때 다시 냉정하게 생각했다.

'나의 신체와 연결된 것 같은 이상한 기계와 예전에 살던 원룸. 꿈일까?'

하지만 이건 적어도 꿈이 아니었다. 생생한 감촉과 자해를 했을 때 전해지는 고통은 현실이었다.

'설마… 소원이?'

아주 간단한 생각 같아 보이지만, 이건 미친 생각이었다. 현실이라고 생각해놓고 현실에서 있을 수 없는 일을 생각하는 것이니까. 하지만 분명히 이 상황을 달리 다르게 해석하기엔 정보가 너무 부족했다. 그래서 우선 회사에 출근하기로 했다.

예전에 내가 썼던 원룸 그대로의 모습이라서 세면도구의 위치와 보일러의 위치 등 낯설지가 않았다. 그렇게 출근 준비를 마치고 집을 나서서 지하철을 타려 하는데, 아주 이상한 광경을 목격하게 되었다.

'내 눈이 이상한 건가?'

다들 내 손목에 있는 이상한 기계가 똑같은 위치에 채워져 있던 것이다. 그리고 지하철을 탈 때 교통카드가 아닌 이 기계를 찍으며 들어서고 있었다. 뭔가 이상하다 싶어서 지갑을 열어봤는데 지갑은 텅텅 비어 있었다.

'역시, 안 그래도 이 기계 때문에 회사를 들렸다가 병원에 가려 했는데… 강도에게 당한 건가? 신분증에 쓰여 있

던 주소가 아마 원룸이었지. 흠… 아니야 그 원룸에서 이
사한 지 꽤 오랜 시간이 지났었고… 그럼 이 사람들은 뭐
지? 아, 모르겠다! 출근부터 하자.'

나는 다른 사람들처럼 내 손목을 지하철 개찰구에 찍어
보았다. 이 기계가 무엇인지 모르겠지만, 다른 사람들처럼
지하철을 탈 수 있었다. 그런데 어째서인지 지하철을 타는
사람들은 많지 않았다. 불안한 마음을 한가득 짊어지고 회
사에 들어섰다. 일단 부장님께 인사드리려고 부장님 자리
로 갔는데 내 후배 사원이 부장 자리에 앉아있었다. 그래
서 나는 후배에게 따끔하게 말했다.

"너 여기서 뭐 하냐? 빨리 안 일어나?"

그러자 그 후배는 나를 빤히 쳐다보더니 이렇게 말했다.

"왜요?"

나는 화가 났지만, 일단 마음을 진정하고 후배에게 차분
하게 말하려고 했다. 그런데 그 순간 후배의 손목이 눈에
들어왔다. 역시나 지하철의 사람들처럼 이 후배도 괴상한

기계를 차고 있었다. 그래서 그 후배에게 물었다.

"너 그… 손… 손목에 있는 거… 그 기… 기계 뭐야?"

그러자 후배는 어리둥절한 표정을 지으며 나에게 다시 물었다.

"'E·R·M'이요?"

그랬다. 허름한 술집에서 무심코 말한 소원이 이루어져 버렸다. E·R·M(Electronic Recognition Machine: 전자 인식기기)은 화폐가 사라진 세상에서 화폐를 대신하는 기계였다.

E·R·M에 지문인식을 하면 볼 수 있는 화면이 따로 존재했는데 그 화면은 현재 자기 일에 대한 능률을 보여줬다. 능률을 1%~100%까지로 보여주는데 이 능률이 곧 '자신이 누릴 수 있는 모든 것에 대한 %'이기도 했다. 예를 들어 내가 100%의 능률을 가지고 있으면 이 세상에서 못 누리는 것은 없는 것이다. 만약, 1%의 능률이라면 이 세상의 존재하는 99%는 누리지 못하는 것이다. 그렇다면 여기서 한 가지 의문이 생긴다.

'능률은 어떻게 정하는가?' 능률은 전 세계에 같은 일을 하는 사람들끼리 비교하여 상대평가를 하는데 이 평가를 하는 제도가 'W·A·S(Work Appraisal System: 업무평가제도)'다. 근무지 및 모든 곳에서 나의 행동거지가 영상으로 기록되는데 'W·A·O(Work Appraisal Organization: 업무평가기구)'가 영상을 근거로 '능률분석'을 한다. 근무

지뿐만 아니라 다른 모든 곳에서도 영상자료를 수집하는 이유는 간단하다. '비리'와 '부정행위'를 막기 위해서다. 그리고 당연한 이야기지만 범죄행위를 저지르게 되면 능률이 높아도 '불이익'을 받게 된다. 물론 불이익을 범죄의 정도에 따라 차등적용 시킨다.

참고로 이러한 제도로 인해 일하지 않는 사람은 능률이 '0%'다. 그래서 E·R·M으로 인식할 수 있는 집과 음식, 옷 등 아무것도 없다. 어떻게 보면 '살인자'보다 '일하지 않는 자'가 더 이 세계에 '대역죄인'인 것 같았다. 그리고 '구걸 또한 불가능'해졌다. 철저한 W·A·S와 현물화되지 않는 '능률'은 구걸을 불가능하게 만들었다. 또 당연한 이야기지만 '복권 및 경품' 따위는 없다.

'혹시라도 다른 사람이 내 E·R·M을 잘라가면 어떻게 될까?'

아주 무서운 생각이 스쳤지만, 다행히 그런 일은 존재하지 않았다. 기본적으로 E·R·M은 'B·E(Bio Energy: 생체에너지)'를 인식하기 때문에 내가 아니면 사용할 수 없을 뿐더러, 만약 그러한 일이 벌어지게 되면 가해자의 E·R·M 권한을 정지시키고 W·A·O의 영상기록장치들이 가해자를 끝까지 추격할 것이다.

'만약 장애인이 되면 어떻게 되는 걸까?'

선천적 또는 후천적인 장애로 인해 일할 수 없거나 일을 하기에 불편한 사람이라면 '약자보호법'을 적용받는다. 일을 할 수 없는 장애인은 무조건 '능률 50%'의 평균적인 혜택을 받는다. 일이 불편한 장애인은 최소한의 일만 해준다면 노력을 인정받아서 최대 '능률 30%+'의 혜택을 받는다. 만약에 이러한 혜택을 받기 위해서 자해를 하게 되면 당연한 이야기지만, 범죄로 인정받을 뿐만 아니라 어떠한 혜택도 받을 수 없다.

참고로 '결혼'도 화폐 시절과 달리 색다른 부분이 많았다. 결혼하면 화폐 시절에는 '재산'이 법률적으로도 아주 중요한 부분이었지만, 여기서 화폐를 대신할 만한 능률은 결혼과 아주 무관했다. 화폐 시절에는 '이혼'하게 되면 '재산분할'이나 '위자료' 등 재산적인 문제를 많이 다루지만, 능률은 이혼하더라도 나눌 수 없고 본인의 몫이기에 전혀 상관없다. 그래서 '능률(돈) 때문에 결혼했다.', '능률(돈)보고 결혼했다.' 등. 화폐 시절에 사용했을 법한 말들은 전혀 없었다. 그저 함께하고 싶고 같이 인생을 살아가고 싶은 사람들이 순수하게 결혼하는 세상이었다.

'그렇다면 거주지는?'

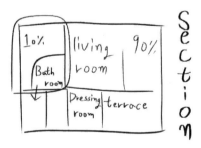

능률이 90%인 사람과 10%인 사람이 결혼하게 되면 90%인 사람의 거주지에서 함께 산다. 이렇게만 놓고 보면 위에 말들이 무색하게 느껴질 수 있다. 그러나 그림과 함께 설명하자면 실상은 이렇다.

10%의 능률을 가진 사람은 '10% 구역'에만 있을 수 있고 90%의 능률을 가진 사람은 모든 구역을 사용할 수 있는 형태로 말이다. 아니면 처음부터 상대적으로 낮은 능률을 가진 사람에게 맞춰서 집을 선택하는 경우도 있다.

마지막으로 한 가지를 더 설명하자면 직급과 직업 관련 이야기다. 당연한 소리지만, '화폐 시절'에는 직급이 높을수록, 직업이 좋을수록 대부분 돈을 더 많이 벌었었다. 하지만 '이 시스템'에선 공사현장에서 일해도 능률이 100%라면 뭐든지 누릴 수 있다. 반대로 '대통령'일지라도 능률이 100%가 되지 못한다면 이 세상에서 누릴 수 없는 것들이 존재하게 된다. 그래서 직급과 직업에 대한 의식은 화폐 시절과 같지 않다. 능률이 높은 사람이 이 세상에서 대우받듯이 직급은 그 어떤 관계도 없다.

부장으로서의 업무를 잘할 수 있을 것 같은 사람이 부장을 맡고 일반 사원으로서의 업무가 능률이 높을 것 같은 사람은 사원으로 남는다. 그러므로 상사라는 개념도 없고 화폐 시절과 같은 예우도 없다. 부장이나 사원이나 그저 같은 회사 동료직원일 뿐이다. 참고로 사장도 마찬가지다. 회사를 설립하고 운영하는 업무에서 능률이 높게 나오리라

판단한 사람일 뿐이다.

그냥 홧김에 말한 소원인데 이렇게 구체적이고 현실적으로 이루어져서 상당히 당황스러웠다가도, 안일한 생각이 들었다.

'그래, 매일 돈에 치이며 사는 것도 지겨웠는데 이젠 일에만 집중하다 보면 하고 싶은 거 다 하면서 살 수 있겠지.'

하지만 모든 게 화폐가 있을 때와 같지 않았다. 대충 출근해서 시간 보내다가 퇴근하는 사람들도 월급 받았던 시절이 아니기에 열심히 일하지 않는 사람은 없었다. 더구나 '직업에 귀천이 없다'는 말이 완벽하게 현실적으로 이루어진 이 세계는 자신이 좋아하는 일을 선택하는 사람과 내가 이 일을 잘하기에 선택하는 사람뿐이었다.

나는 화폐 시절에 어정쩡한 '스펙(Specification)'으로 최상의 조건을 찾아서 이 회사에 입사했을 뿐이다. 사람들이 흔히 말하는 '즐기는 자'와 '천재'는 내가 암만 노력해도 이길 수가 없었다.

'이 세상에 돈이 있을 땐 적어도 이 원룸을 벗어났었는데…'

이 무서운 세상을 마주하고 나니 한 가지 사실을 깨닫게 되었다.

'난 이 직업을 왜 선택한 걸까? 딱히 이 직업에 대해서 1%의 재능도… 흥미도 없는데 말이야.'

물론 화폐가 있었을 때도 딱히 만족했던 직업은 아니었다. 그런데 이런 세상을 마주하고 나서야 직업에 대해서 진지하게 생각을 해본 나였다.

'직업은 인간이 살아가면서 별로 중요하지 않은 것도 아닌데…'

그렇다. 인정하기 정말 싫지만, 난 화폐가 있었을 때는 화폐에 현혹되어 내가 진지하게 원하는 일이 무엇인지 판단하지 않았다. 언뜻 생각은 해봤겠지만, 현실(돈)이라는 벽을 쌓고 생각을 접었을 것이다. 그냥 내가 적당한 노력으로 할 수 있는 직업 중에서 가장 돈 많이 버는 직업을 선택하는 것이 '철든 성인의 행동'이라고 단정 지으면서 말이다. 그런데 정말 비참하게도 그 직업이 전자회사 사원이라니… 참 보잘것없는 나였다. 그래서 나는 이제부터라도 제대로 살아보고 싶어졌다. 내가 돈을 못 벌지라도… 아니, 내 능률이 1%여서 물질적인 행복을 누릴 수 없더라도 내가 일을 하면서 날마다 인간적으로 행복할 수 있는 직업을 선택해보기로 말이다.

'그런데 어떻게 알 수 있지?'

막상 마음을 굳게 먹었지만, 현실적인 생각이 뇌리를 스쳤다. 머리가 어지러울 정도로 고민하다가 과거에 대한 불만을 토로했다.

'젠장! 아무리 국어, 영어, 수학 따위만 열심히 배웠어도 그렇지! 빌어먹게 쓸모가 없어도 되는 거냐고? 도대체 난

어렸을 적에… 그 흔한 꿈도 희망도 없었던 거냐!'

정규교육… 아마 이것은 별로 문제가 없었을 것이다. 모두 다 받은 정규교육인데 나만 별다른 생각 없이 열심히 했던 거니까. 남들은 뒤도 돌아보며 목표를 가지고 열심히 정규교육에 임할 때 나만 아무 생각 없이 달렸던 거니까. 아니면 누군가 가득한 꿈을 가지고 정규교육을 돌아설 때 나는 그러지 못한 것뿐이니까.

깊게 생각해보니 사실 나도 하고 싶었던 것 하나 정도는 가지고 있었다. 그것은 '작가'였다. 하지만 재능이 없다는 핑계와 현실(돈)적인 이유로 시도조차 하지 않았던 과거였다. 그런데 인제 와서야 도전하려는 내가 한심하기도 했지만, 더는 내 인생에 핑계를 대고 싶지 않았다. 내가 작가로서의 능률이 1%도 채 나오지 않아, 굶어 죽는다고 하더라도 진실한 인생이었기에 후회가 없을 것 같았다. 배부른 돼지의 죽음보다 배고픈 인간으로서의 죽음이 '인간답다'고 누구나 생각할 순 있으니까. 그래서 W·A·O에 직종변경신청 및 E·R·M 권한 연장신청을 했다. 이것이 통과되면 난 이 회사를 퇴사할 것이다. 도전도 도전이지만 아무 생각 없이 도전하여 개죽음을 맞이할 생각은 '인간이기에' 눈곱만큼도 없다. 지금 바로 퇴사하면 E·R·M 권한을 최대 3개월까지밖에 연장할 수 없다. 하지만 법적 절차를 밟아서 작품 활동을 위한 E·R·M 권한 연장신청을 하게 되면 기존 작품을 가지고 있는 작가는 최대 10년, 이제 막

데뷔를 하려는 준비생은 최대 1년까지 연장할 수 있다.

모든 것을 '운명'에 맡기며 초조하게 결과를 기다리던 발표 날, 내가 신청했던 직종변경신청 및 E·R·M 권한 연장신청이 10개월로 통과되었다. 난 그날 바로 회사를 퇴사하고 원룸에서 작업을 시작했다. 첫날은 이런 생각이 들었다.

'만약 회사에서보다 능률이 더 낮게 판정되더라도 난 분명히 행복할 거야.'

하지만 가끔 머리가 썩는 것 같은 창작의 고통이 수반될 때면 다시금 왜 작가가 하고 싶었는지를 되돌아보았다.

'난 그저 내 머릿속에 존재했던 세계를 책으로 만들고 싶은 것… 부족한 실력이니까, 완성만 해도 성취감에 행복할 것이다. 또 누군가 읽어준다면 더욱 행복하겠지. 그리고 지금 이 과정들이 괴로울 때보다 즐거울 때가 많아! 가끔 내 생각대로 안 된다고 해서 또 이런 생각을 하다니… 자 그럼 시작해볼까?'

우여곡절 끝에 '화폐'라는 제목으로 작품을 완성했다. 하지만 막상 작품을 완성하고 나니 너무나 두려웠다.

'아무도 읽지 않아서 능률이 0%가 되면…'

그나마 가지고 있는 모든 물질을 잃었을 때, 후회하지 않을 자신이 있는지에 대한 두려움은 생각보다 컸다. 그러나 이미 엎질러진 물이었다.

완성은 했지만 두려움으로 미루고 미룬 지금이 10개월이 끝나는 시점이다. 어쨌든 이대로 책을 출판하지 않으면 0%가 된다. '진퇴양난' 결국, 난 책을 출판했다.

"신선한 소재다."

책을 출판하고 나서 확실히 알았다. 이 세계의 사람들은 화폐를 경험하지 못했다. 그러니깐 나는 다른 세계에서 이 세계로 넘어온 사람이었다. 내가 알고 있던 직장 후배도 사실은 다른 사람일 수 있다. 어쩌면 내가 기억하는 직장 후배의 모습과 행동이 닮아 있었던 것뿐일지도 모른다.

신선한 소재 덕분에 이 책을 생각보다 많은 사람이 읽었다. 그래서 90%가 넘는 E·R·M 권한을 가질 수 있었다. 또 차기작 준비 기간을 W·A·O에서 10년으로 통과시켜줬다. 하지만 엄청난 사건이 발생하고 말았다.

내가 쓴 '화폐'라는 책 덕분에 현재 'W·A·S'에 불만을 가진 사람들이 화폐 개혁을 일으켰다. 그런데 그 수가 너무 많아서 현재 제도들이 하나씩 무너져 가기 시작했다. 결국, 내가 이 세계에 온 지 20년 만에 '화폐 개혁'은 완벽하게 이루어져 버렸다.

'내가 이 세계를 망쳐버렸어…'

W·A·S를 싫어하던 사람들도 많았지만, 반대로 W·A·S를 합리적이라고 생각하며 만족했던 사람들도 많았다. 극단적인 모습이었지만, 갑작스러운 화폐 개혁 때문에 자살하는 사람들도 많았다. 그들의 분노와 원망이 나의 가슴속에 울려 퍼지는 듯했다.

나는 극심한 죄책감 때문에 진심으로 고통과 용서를 호소했지만, 모든 게 나 때문이라고 생각하는 'W·A·S 옹호 단체'는 나의 목숨까지 위협했다. 날마다 신체적, 정신적 고통을 겪던 나는 잊고 있었던 20년 전 허름한 술집을 생각해냈다.

'그래! 만약 이 세계에도 존재한다면…'

역시나 내가 기억하는 곳에 버젓이 '허름한 술집'은 존재하고 있었다. 다시 생각해보면 이 세계가 다른 세계가 아닐지도 모른다. 나는 침을 꼴깍 삼키며 마음을 굳게 먹고 이 허름한 술집의 문을 열었다.

"돈은 받지 않는다고 했는데… 생각보다 더 엄청난 걸 받았군요. 왜 시간을 멈추는 것이 불가능했는지 알겠네요."

20년 정도 젊어진 그녀의 모습은 나를 헛웃음 짓게 하였다. 그녀는 예전에 보였던 기괴한 웃음과 달리, 어여쁜 웃음으로 나를 맞이하며 말했다.

"그날, 바로 오실 줄 알고 미리 이사도 했었는데… 생각보다 너무 오래 걸렸군요. 안 그래도 제가 찾아가려고 했었죠. 너무 어려지면 곤란하니까요. 어쨌든 환영해요."

나는 마음을 가라앉히며 차분하게 말했다.

"당연히 공짜는 아닌 줄 알았어요. 이번엔 '고민'을 주문하려고 하는데 상당히 비싼가요?"

그러자 그녀는 아련한 표정으로 천장을 바라보며 말했

다.

"어쩌면요. 앞으로 이곳에 영영 올 수 없다는 게 가격이니까요."

나는 알 수 없는 감정들을 이리저리 섞어가며 결단을 내렸다.

"다시 원래의 세계로 돌아가고 싶은데 어떻게 하면 되는지 몰라서 '고민'입니다."

그녀는 '허니문 칵테일'을 마시며 쓴웃음을 지었다. 한동안 이 허름한 가게에서 정적이 흘렀다. 그녀의 잔이 전부 비워졌을 때, 그녀는 차분하게 말했다.

"정확히 말하면 여기는 당신이 말했던 소원… 돈이 없는 세상이었습니다. 다른 세계가 아니고 우리가 사는 세상에 화폐가 없었던 배경과 '일에 대한 절대'를 첨가한 것이죠. 물론 당신의 선택을 시작으로 다시 화폐가 만들어졌지만요. 굳이 되돌린다면 원래부터 화폐가 있던 세상으로 되돌리는 것이겠죠? 이미 아시겠지만 제가 당신에게 그동안 받았던 건 '당신의 세월과 젊음'이에요. 그래서 그건 절대로 돌려드릴 수 없어요. 다시 말하면 '시간'을 되돌리거나 앞당기고 멈추는 것은 불가능해요."

나는 옛날에 마시지 못했던 먼지 수북한 테킬라를 통째로 마셨다. 고약한 향에 토가 나오려고 했지만, 꾹꾹 눌러담으며 말했다.

"네, 되돌려주세요."

그러자 그녀는 무표정한 얼굴로 나를 매섭게 쳐다보다가 아쉽다는 듯이 마지막 말했다.

"당신의 '고민' 해결해드리죠."

그녀의 말이 끝나기 무섭게 나는 정신이 번쩍 드는 느낌을 받았다. 그리고 천천히 이리저리 둘러보았다.

"여기는… 그래… 맞아. 그랬었지…"

정신을 차린 곳은 원룸에서 월세를 내지 못해 쫓겨났던 반지하 단칸방이었다.

'그래… 월급 받으면 스트레스받는다고 족족 유흥업소에 탕진했었지. 아무리 일을 열심히 해도 날탕들과 똑같은 월급이 불만이었지…'

옛날 퇴근길, 허름한 술집에서 진탕 취하고 싶었던 이유는 '잠깐의 휴식'이 아니었는데… 왜 나는 머릿속에서조차 인정하지 않았을까? '거짓된 합리화'를.

하지만 이제 '상관없을 것 같았다.' 나 자신을 묶어놨던 '얽매임과 모순'을 알았으니까.

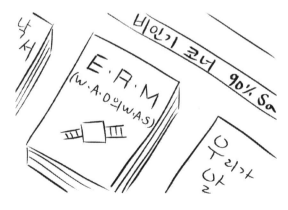

형의 특별한 선물

내가 8살 때부터 형은 내 생일마다 '동화책'을 선물해 줬다. 나는 '늦둥이'로 태어났기 때문에 형과 나이 차이가 22살이나 차이가 났다. 그래서 내가 8살 땐 형이 30살이 었다. 형이 선물해주던 동화책은 매우 특별했다. 형에게 선물을 받아서 특별했다기보다 '동화책' 자체가 '매우 특별'했다.

형의 직업은 동화작가다. 하지만 나에게 선물한 동화책 은 형이 시중에 출판하는 동화책이 아니었다. 내가 선물 받은 동화책은 오직 나의 생일을 위해서 1권만 만든 동화 책이었다. 제목도 '너의 8살을 기념하며.', '네가 9살이 되었구나.', '10살의 끝자락.' 등으로 나의 생일을 기념하는 제목이었다.

나의 11번째 생일, '이번에도 형은 특별한 동화책을 선물로 주겠지?'라는 생각에 난 한껏 기대하며 들떠버렸다. 설레는 마음으로 생일케이크 앞에서 힘찬 박수와 함께 초를 불어 껐다. 곧이어 엄마와 누나가 상냥한 미소를 지으며 내가 가지고 싶어 했던 장난감을 선물로 건네자, 형도 정성스럽게 포장한 선물을 나에게 줬다. 나는 '이번엔 무슨 제목이고 어떤 내용일까?' 궁금해하며 예쁜 포장지를 조심스럽게 벗겨냈다.

"어?!"

그런데 포장지속에 들어있었던 것은 동화책이 아닌 '휴대용 게임기'였다. 물론 휴대용 게임기도 너무나 갖고 싶었던 물건이었지만, 나는 형에게 다소 실망한 마음을 숨길 수 없었다. 내가 기뻐하지 않는 모습을 보던 형이 말했다.

"앞으로는 동화책 대신에 네가 갖고 싶어 하는 것을 선물로 주마… 예고도 없이 결정해서 미안해."

형이 나를 위해 써주던 동화책이 너무나 재미있고 특별해서 떼라도 쓰고 싶었지만, 왠지 그러면 안 될 것 같았다.

"알겠어. 대신 나중에라도 마음이 바뀌면 부탁해."

그러자 형은 고개를 끄덕끄덕 흔들고 알겠다는 표정을 지으며 나를 바라보았다. 그런데 그때 나를 보는 그 눈빛은 아쉬움도 미안함도 아닌 '고마움과 기쁨'이었다.

내가 12번째 생일을 맞이했을 때도 형은 역시나 내가 갖고 싶어 했던 장난감을 선물로 주었다. 그래서 그날 형에게 물었다.

"아직도 동화책을 주고 싶지 않은 거야?"

그러자 형은 아빠가 살아계셨을 때 자주 앉았던 '의자'를 보며 나에게 물었다.

"예전에 써준 동화책을 혹시 다시 읽어봤니?"

나는 그 질문에 다소 어리둥절한 표정을 지으며 말했다.

"당연히 가끔 꺼내서 읽어봤지. 형이 새로운 동화책을 써주지 않으니까. 그런데 사실… 최근에는 다시 읽지 않았어. 여러 번 읽다 보니 재미가 없더라고… 물론 처음엔 너무나 재미있었어! 그러니까, 형이 다시 나에게 동화책을 써주면 좋겠어."

형은 상냥한 미소를 짓다가 씁쓸한 표정으로 말했다.

"그래? 그러면 네가 나중에 동화책 내용이 잘 기억나지 않을 정도로 컸을 때 다시 읽는다면 재미있지 않을까? 내가 새로운 동화책을 써주지 않는다고 해도 말이야."

나는 형의 말에 살짝 토라져 버렸다.

'차라리 써주기 싫어서, 써주기 싫다고 말하면 이해할 수 있는데…'

형이 동화책을 주지 않는 이유가 무엇인지 몰라도, 내가 보기에는 핑계만 늘어놓는 것 같았다. 오늘이 내 생일인데… 난 기분이 좋지 못했다.

나의 13번째 생일, 역시나 형은 이번에도 동화책 선물을 주지 않았다.

"형?"

"응?"

나는 형에게 동화책 선물을 받고 싶다고 말하려 했다. 하지만 작년에 내가 괜히 형에게 동화책 이야기를 꺼냈다가, 내 기분만 나빠졌던 일이 떠올랐다.

"… 아니야. 이번에도 내 생일을 챙겨줘서 고마워."

내년이면 난 중학생이다. 어쩌면 이젠 동화책에 집착할 나이가 아니다. 그런데도 내가 형의 동화책을 너무나 그리워하는 이유는 '특별'하고 재미있었기 때문이었다.

"형, 난 솔직히 형이 날 위해 써주던 동화책이 너무나 좋았어. 뭐, 형이 써주지 않는 이유가 있겠지? 난 그 이유가 뭔지 몰라서 기분 나빴던 적도 있지만, 다 이해할게. 그리고 내년이면 나 중학생이니까, 이젠 동화책 필요 없을 것 같아."

형은 고개를 끄덕이다가 웃었다. 그리고 내가 기특하다는 듯이 멋진 미소를 띠며 나에게 말했다.

"그래, 이해해줘서 정말 고마워."

그 후 형과 나의 시간은 빠르게 흘러갔다. 나는 예전부터 형을 자주 보지 못했지만, 내가 중학생이 되고 형도 일이 많아지면서 형을 '가족의 생일이 아니면 보지 못했다.'

그러나 내가 고등학교를 졸업하고 20살이 되었을 때부터는 형을 자주 볼 수 있었다. 그런데 난 형을 자주 보는 것이 너무나 싫었다.

"형, 이게 뭐야… 도대체 언제 일어날 거야?"

내가 형을 자주 보게 된 계기가 형이 큰 사고로 중환자실에 입원했기 때문이었다. 그래서 형체를 알아볼 수 없는 형의 몰골을 바라보는 게 너무나 싫었다.

"오늘도 미안하지만… 나 집에 갈게. 어째 형은… 더 안 좋아지냐…"

나의 볼을 한없이 타고 흐르는 눈물들이 형의 비참한 상태를 말해주고 있었다. 의식도 없이 누워만 있는 형의 모습은 애처롭고 불쌍하기 그지없었다. 그 날, 집으로 돌아가는 길에서 어렴풋이 짐작했다. 형과의 시간은 이제 없다는 것을.

"삼가 고인의 명복을 빕니다."

형이 저세상에서 그리워하던 아버지와 만났기를 빌었다. 죽은 형에게 지금 당장 내가 할 수 있는 건 기도였기 때문이었다.

장례가 끝나고 형의 유품을 엄마와 함께 정리했다. 그러다 문득, 형이 선물해줬던 '동화책'이 생각났다. 난 한걸음에 내 방으로 달려가 동화책을 펼쳐보았다.

'내가 왜 이걸 오랜 시간 동안 잊고 있었지?'

난 동화책을 통해 형과의 추억을 떠올리며 잠시 옛날로

돌아가려고 했다.

"응?"

그런데 동화책 본문엔 그 무엇도 쓰여있지 않았다. 대신 '마지막 장'은 예전과 다르게 바뀌어 있었다.

너에게 진짜 주고
싶었던 선물,
동심 잘 받았길.

'그래서 11살 때부터 동화책을 써주지 않은 거야?…'

동화책 위로 내 눈물이 하염없이 떨어졌다.

'형에 대한 기억은 너무나도 많은데 왜 난 단 한 번도 형에게 선물을 주지 못했을까?'

생각은 또 다른 생각으로 번져 나를 슬프게 했다. 내가 계속해서 눈물을 흘려버리는 바람에 동화책이 물에 빠진 듯이 흠뻑 젖어버렸다. 동화책에서도 내 눈물이 떨어지기 시작할 때쯤, 기절하듯이 잠들어 버렸다. 그날 꿈속에서 난 형이 써줬던 동화 속 이야기를 여행했다.

만담

번지르르한 외투를 벗고 한 사내가 자리에 앉았다. 별 볼 일 없는 술집에선 이상한 냄새가 진동했다.

"아오, 이게 무슨 냄새요?"

보잘것없는 사내가 번지르르한 외투에서 값비싼 손수건을 꺼내더니, 싸구려 코를 감싸며 코를 막았다. 사내 앞에 앉아 있던 한량은 넌지시 술을 비운다.

"간만이요. 이 선생."

한량은 고개를 까딱거리며, 반갑다고 인사한다. 곧이어 이 사내들은 자랑스럽다는 듯이 큰 소리로 떠들었다.

"이 선생, 요즘 무슨 재미로 사나?"

"요즘?… 아, 그렇지! 개를 키우고 있다네."

"개요?"

"적적하고 외롭기도 해서… 한 마리 키우고 있소."

"어허~ 그것참 별일이요. 이 선생 같은 분이 개를 키우다니…"

"뭐, 나 같은 놈은 개 키우지 말란 법 있소?"

"그야 당연히 없지요. 어쨌든 잘 키우고 있는 것이요?"

"이런 얘기하긴 뭐하지만 내가 개를 키우는지 호랑이를 키우는지 모르겠소."

"이 선생, 어째서 그런 말을 하시오?"

"아니~, 내가 처음 키우는 동물이기도 하고… 나이가 들어서 그런지 정이 많이 가더라고. 그래서 호랑이를 모시듯이 대우해줬더니… 아니 이 개새끼가 지가 호랑이인 줄 알고 이곳저곳 돌아다니며 나에게 짖어대는 것이 아니요. 말하면 입만 아프오. 난리도 아니요!"

"이 선생, 개뿐만이겠습니까? 사람 새끼도 그러지 않습니까? 짐승 같은 새끼들, 사람 대우해보쇼. 짐승만도 못한 것들이 사람인 줄 알잖소. 개새끼에겐 개새끼에 걸맞은 대우를 해야지 않겠소?"

"물론, 지 선생 말이 백번 옳소. 그래도 개새끼를 호랑이 새끼로 키우는 것도 좋은 점이 많더이다."

"그게 무엇이오?"

"내가 '김 선생'을 집으로 초대했을 때 이야기요. 집에서 키우는 개새끼지만 내가 호랑이 모시듯 하니, 김 선생이 이렇게 말하는 것이요. '내가 개를 좋아하지 않아서 보는 개새끼마다 나한테 오지 말라고 발로 찼었는데… 이 선생 개는 그렇게 할 수 없겠소.'라고 말이오. 내가 호랑이 모시듯 하니, 다른 놈들도 호랑이 보듯 존중한다는 거요."

"오호. 그것참 재미있는 이야기로군요. 이 선생이 재미있는 이야기를 해주니 나도 생각난 이야기가 있소."

"말해보시오."

"제 아들이 친구를 폭행했다고 경찰서에서 연락이 온 적 있소. 그래서 한걸음에 달려갔지. 그런데 일방적인 폭행사건이 아니라 서로 치고받고 싸웠던 것이었소."

"뭐, 크다 보면 그런 일도 있을 수 있는 것 아니요?"

"재미있는 것은 합의할 때 이야기요. 상대편 부모가 왔는데 얼굴이 사색이 되어서 오더이다. 물론 같은 부모로서 얼마나 놀랐을지 짐작이 되더이다. 그런데 저 못난 부모가 바락바락 소리 지르며 우리 아들에게 말하더이다. '내가 우리 아들을 어떻게 키웠는지 알아? 왜 못된 것만 배워서 우리 착한 아들까지 경찰서에 오게 하느냐!'라고… 옆에 있던 내가 그만 웃음을 참지 못하고 웃어버렸던 일이 있었소."

"지 선생이 무슨 말을 하는지 알겠구려. 아무리 존중받아야 할 마땅한 생명이라도 존중받지 못할 짓을 했을 땐 걸맞은 대우를 해줘야 한다는 것이지요?"

"뭐, 비슷하오. 하지만 제가 말하고 싶은 것은 이거요. 굴러다니는 돌덩이를 다이아몬드처럼 모셔봤자,… 결국 돌덩이잖소."

"지 선생, 물론 내가 개를 진짜 호랑이로 만들 수는 없소. 그런 건 나도 잘 알고 있으니 걱정하지 마시오."

"나는 이 선생이 그렇게 멍청하지 않다는 것도 잘 알고 있소. 굳이 이 선생의 말에 반박하는 것은 아니요. 흠… 또 예전에 제가 겪었던 일이 하나 떠오르오. 한참 슬럼프에 빠져서 그 무엇도 개발하지 못할 때였소. 혼자서 이 슬럼프에서 벗어나기 위해 많은 노력을 했으나… 전부 소용없었소. 그런데 친한 친구놈이 나를 보며 이런 말을 했소. '네가 어려운 것도 있었냐? 옛날부터 너는 못 하는 게 없었잖아.' 찬찬히 주위를 둘러보니 저는 '못 하는 게 없는 존재'였소. 나는 나를 잘 모르겠는데, 주위에서 이렇게 생각해주니, 정말 못 하는 게 없는 존재가 된 기분이었소. 그렇게 자신감을 얻고 슬럼프를 이겨낸 적이 있소."

"지 선생은 보기와 다르게 인정받는 분이었구려."

냄새나던 술집이 싸늘한 분위기로 바뀌었다. 정적이 흐르다가 어색한 웃음이 지나갔다.

"이 선생, 나는 이만 가보겠소. 술 잘 마셨소."

"지 선생, 삶의 정답이 있다고 생각하오?"

다 식어버린 먹장어가 비웃는 소리가 울려 퍼졌다. 끝내, 먹장어가 누군가에게 먹혔는지 조용해졌다.

"이 선생, 삶의 정답이 어떻게 있을 수 있소? 저마다 오답이 있을 순 있겠지요… 저마다 생각하는 오답을 피하며 살다 보면 그게 정답이 되지 않겠소?"

잠시 후, 집에 들어온 이 선생은 생각했다.

'지 선생, 지밖에 모르는 새끼. 그래, 돌덩이는 돌덩이일 뿐이지.'

도살장으로 끌려가는지도 모르는 지 선생은 생각했다.

'이 선생, 이기적인 새끼. 나를 무시해? 키우는 개새끼는 호랑이처럼 대접한다고? 웃기지도 않는구먼.'

돼지들이 사람처럼 지식과 교양을 겸비한 척 해봤자 돼지일 뿐이었다.

"뭐, 비슷하오. 하지만 제가 말하고 싶은 것은 이거요. 굴러다니는 돌덩이를 다이아몬드처럼 모셔봤자,… 결국 돌덩이잖소."

진짜로 전하고 싶은 것은,

머리가 아닌 마음속에.

저 자 宋旼奎

2번째 사랑

좋은 향기가 가득한 겨울이 왔다. 겨울은 남자에게 더없이 좋았던 계절이다. 하지만 이 세상엔 당연하단 듯이 더없이 좋은 것과 영원한 것은 없다. 거센 바람이 부는 겨울 바다에서 낭만을 찾고 있던 남자는, 낭만을 찾지 못한다. 남자는 겨울 바다에 후회와 미련을 남기고 어디론가 향한다.

"안녕하세요?"

남자는 늦게 들어온 여자를 향해 고개 숙여 인사했다. 고개를 들어 올린 남자는 당황한 눈초리로 그녀를 뚫어지게 쳐다봤다. 그녀는 남자의 이상한 반응에 멈칫했다가 차분하게 인사했다.

"아 네, 안녕하세요."

남자는 그녀의 첫인상이 별로 좋지 않았는지 표정이 밝지 않았다. 딱히 이유가 있어서 좋지 못한 것은 아니었을 것이다. 단지 그녀에게서 느껴지는 느낌이 좋지 못했을 것이다.

"내가 나이가 더 많으니깐 말 놓을게."

남자는 맞선에서 여자에게 실례가 될 수 있는 표정과 침묵을 이어가는가 싶더니, 갑자기 미소도 지으며 그녀에게 적극적인 태도를 보였다. 남자는 재미있는 시간을 보내면 그것으로 충분하다고 생각한 듯 보였다.

"그럼 나중에 또 만나요."

그녀가 남자에게 먼저 들어가라며 손짓했다. 남자는 무리하게 마신 술 때문에 길을 헤맸다. 솔직히 술보다 오랜만에 느껴보는 즐거움이 그를 방황하게 한 것인지도 모른다.

남자가 집으로 들어왔을 땐 감성 깊은 새벽 2시였다. 조금 전 만났던 그녀의 첫인상은 딱히 좋지 않았지만, 남자가 오랜만에 즐거웠던 것은 분명한 사실이었다. 그는 그녀에게 예의상 받아두었던 번호로 감성에 취해 문자를 보냈다.

'다음 주 주말에도 우리 다시 만나자.'

남자가 잠에서 깨었을 땐 보내두었던 문자가 실수였음을

깨달았다. 남자는 다급히 핸드폰을 집어 들었다. 답장이 오지 않았다면 문자를 잘못 보냈다고 그녀에게 둘러댈 심상이었다. 하지만 답장은 와 있었다.

'누구세요?'

그녀는 그의 번호를 가지고 있지 않았기 때문에 당연한 반응이었다. 그런데 남자는 뚜렷한 이유도 없이 '누구세요?'라는 답장을 못마땅했다.

'어제 너랑 맞선 본 사람.'

남자는 그저 잘못 보냈다고 둘러댈 생각이었는데 어느새 그녀와 문자를 주고받고 있었다. 직장에서도 집에서도 매일 그녀와 문자를 주고받았다.

'내일 시간 되지? 우리 만나자.'

남자가 그녀를 기다렸던가? 그녀와 다시 만날 일은 없을 거로 생각했는데 남자는 어느새 그녀가 다시 보고 싶어졌다. 빨리도 가던 하루가 느리게 가는가 싶더니 그는 그녀와 이탈리아레스토랑에서 만났다.

"여기 파스타 맛있네요."

그녀는 파스타를 돌돌 말아서 귀엽게 입어 넣었다. 남자가 저번에 그녀를 봤을 땐 먹는 모습이 귀엽다는 걸 몰랐다. 하지만 남자는 오늘 그녀가 식사하는 모습을 몇 번이나 보면서 확실히 귀엽다고 생각했다.

"저기… 나만 말을 편하게 하는 건 왠지 싫네. 너도 편하게 해줘라."

그녀는 처음에 싫다고 했다. 하지만 집요하게 구는 남자 때문에 결국 그러기로 했다.

"밥 잘 먹었어요. 아니… 반말이 익숙하지 않네. 어쨌든 난 집으로 갈게."

그는 그녀와 좀 더 있고 싶었다. 할 말도 없고 딱히 할 것도 없었지만, 그는 그녀와 더 시간을 보내고 싶었다.

"진짜 미안한데, 나랑 조금만 더 놀아줄래?"

그녀는 활짝 웃으며 말했다.

"뭐가 미안해요? 아니… 뭐가 미안해?"

남자와 그녀는 아무도 없는 놀이터에 앉아서 이런저런 이야기를 나눴다. 야속하게 비워져 가는 캔맥주가 아쉬웠던 남자는 말했다.

"사실 너의 첫인상이 별로 좋지 못했어."

그녀는 어리둥절한 표정을 짓다가 어여쁜 눈웃음을 짓고 남자에게 물었다.

"왜요? 아니… 왜?"

남자는 그녀를 지긋이 바라보다가 어색한 웃음을 지었다. 남자의 어색한 웃음이 끝나자 서로 약속이라도 한 듯 동시에 밤하늘을 바라보았다.

"오빠, 예전에 저 시골에 살았어요. 아니… 시골에 살았어. 여기 서울은 별이 잘 안 보이지만, 내가 살던 시골은 별이 매우 잘 보였어요. 아니… 오빠! 저 아직도 반말이 익숙하지 않아요. 그런데도 반말을 하려고 노력하잖아요.

그런데 갑자기 첫인상이 좋지 않았다는 말 같은 걸 하면 싫네요."

남자는 아무렇지도 않다는 듯 태연하게 그녀에게 말했다.

"시골에 살았을 때 보았던 별 이야기가 궁금하네. 이어서 말해 줄 수 있어?"

그녀는 어안이 벙벙한 표정을 지었다. 그러자 남자는 마치 선수처럼 너스레 웃었다. 그리고 말했다.

"너 파스타 먹는 모습이 정말 귀엽더라. 저번에 만났을 때는 몰랐는데 오늘 유심히 보니 먹는 모습이 정말 귀엽더라."

그녀는 얼굴이 붉어지더니 살며시 웃었다. 잠시 후 그녀는 남자와 눈을 살짝 마주치더니 말하기 시작했다.

"제가 기억하고 있는 시골의 별은 정말 아름다웠어요. 그 별을 다시 보고 싶어서 울적할 때 다녀온 적이 있어요. 그런데 정말 이상했어요. 시골의 모습도 반짝이는 별도 제가 기억하고 있던 모습 그대로였는데… 하나도 아름답지 않았어요."

남자는 아무 말도 하지 않고 밤하늘을 보고 있었다. 그녀는 그런 그를 한번 쳐다보더니 이어서 말했다.

"그런데 별도 없는 이 서울의 밤하늘이 무척이나 아름다워 보여요."

남자는 기지개를 피더니 자리에서 일어났다. 그리고 앞

아있는 그녀를 보며 말했다.

"캔맥주가 떨어졌네… 늦었으니깐. 이제 집으로 갈까?"

그러자 그녀는 새침한 표정을 짓고 자리에서 일어나며 말했다.

"그런데 오빠, 아직 왜 첫인상이 좋지 않았는지 저한테 말하지 않았어요."

남자는 고개를 돌렸다. 남자의 어깨가 다소 흔들리는 것 같더니 이내 진정된 듯 아무렇지 않은 표정으로 그녀에게 말했다.

"너와 내가 만약… 아니야. 나중에 말하고 싶을 때 말할게. 오늘은 늦었으니 집에 가자. 정말 즐거웠어."

여자는 남자가 조금 수상해 보였지만, 딱히 신경 쓰지 않았다. 남자가 여자에게 뭔가를 숨긴다고 해도 아직 이상할 게 없는 애매한 사이였기 때문이다.

그가 그녀에게 숨기는 게 있어 보였어도 남자와 여자는 자주 만났다. 마치 거부할 수 없는 이끌림에 서로가 흠뻑 빠지는 듯했다. 그와 그녀가 이탈리아레스토랑에서 11번째 만났을 때 그녀는 남자에게 말했다.

"오빠, 우리 무슨 사이에요?"

분명 레스토랑은 매우 시끄러웠다. 그런데 이 둘의 시간은 마치 멈춰 버린 듯이 어색한 정적과 기류가 흘렀다. 남자는 살짝 당황한 웃음을 지으며 차분하게 말했다.

"무슨 사이가 되고 싶은데?"

그러자 그녀는 헤벌쭉 웃으며 말했다.

"알면서…"

생각이 많아 보이던 남자는 어떤 말도 하지 않았다. 그저 파스타를 휙휙 젓다가 먹지도 않고 레스토랑을 나가버렸다. 남자의 모습에 당황한 그녀는 그를 따라 나왔다.

그녀는 풀이 죽은 모습이었다. 아무 말 없이 남자와 하염없이 걷던 그녀는 결국 다리가 아파졌다.

"오빠, 나 다리 아파. 잠깐 앉아서 이야기해요."

남자는 단호한 표정을 짓고 여자에게 말했다.

"아니, 난 계속 걷고 싶어. 다리가 아프면 먼저 집에 가도록 해."

그녀는 남자도 자신과 같은 마음이라고 생각했는데, 인제 보니 그게 아닌 것 같아서 눈물을 흘렸다. 그녀의 초롱초롱한 눈에서 떨어지는 눈물은 남자를 약하게 만들었다. 남자는 가던 길을 멈추고 아무 말 없이 그녀를 꼭 안아주었다. 그녀는 눈물을 흘리다가 남자의 갑작스러운 행동에 놀랐는지 더 크게 울었다. 남자는 그녀가 완전히 눈물을 그칠 때까지 말없이 안아주었다. 그녀가 눈물을 그치자 남자가 말했다.

"난… 너무나 미안해서 너를… 그러니깐… 그게…"

여자는 남자의 눈을 유심히 보았다. 남자의 눈에선 금방이라도 떨어질 것 같은 눈물이 맺혀서 반짝이고 있었다. 도대체 남자가 왜 이런 모습을 보이는지 전혀 알 수 없는 그녀는 남자에게 말했다.

"나 차인 거야?"

남자는 참지 못하고 눈물을 떨어트렸다. 그러자 그녀가 아까와는 반대로 남자를 끌어안으며 말했다.

"도대체 오빠는 뭐가 그렇게 미안해? 왜 자꾸 미안하다는 말을 해? 내가 너무 예뻐서 오빠 같은 사람이 만나기 미안한 거야?"

농담 섞인 그녀의 말에 남자는 어색한 미소를 지었다. 여자는 남자의 표정은 모른 채 말을 이어나갔다.

"솔직히 오빠가 엄청 멋진 사람은 아니야. 내가 멋지다고 생각되는 남자를 만나도 괜히 설레는 여자가 아니거든. 그런데 오빠는… 처음 본 순간부터 나 왠지 모르게 심장이 두근두근했어… 이상하지?"

남자는 이상하냐는 질문에 대답하지 않았다. 그저 미안하다는 말을 했다. 여자는 부끄럽다는 듯이 얼굴에 홍조를 띠더니 속삭였다.

"오빠, 그럼… 나 안 차인 거지?"

남자와 여자는 행복한 시간을 보냈다. 둘이서 쌓아가는 추억들은 눈부실 만큼 빛이 났지만, 가끔 남자는 불안한 표정을 짓거나 안절부절못했다. 따뜻한 봄이 왔는데도 어째서인지 남자는 따뜻함을 느끼지 못하는 듯했다.

"오빠, 예전에 내 첫인상이 별로 좋지 못하다고 했잖아. 왜 그런 거야?"

남자는 물을 마시다가 물을 쏟으며 허둥지둥했다. 그녀가 수상한 남자의 태도를 보더니, 매서운 눈초리를 주며 집요하게 물었다.

"아 그건…"

남자는 곰곰이 생각하는 것 같더니 말을 얼버무렸다.

"그게… 너를 처음 봤을 땐 좀 못생겨 보여서."

그러자 여자는 남자에게 단호하게 말했다.

"저번에도 나한테 숨기는 게 있는 것 같았어. 그땐 우리가 이런 사이가 아니었으니까 그냥 넘어갔는데… 오늘은 안 되겠어. 반드시 들어야겠어!"

"아… 저… 그… 그러니까…"

남자는 당황해서 말을 계속 더듬었다. 그러다 남자는 뭔가 결심한 표정을 짓더니 차분하게 말했다.

"미안해. 아직 말할 수 없어. 그리고 솔직히 말할 날이 오지 않았으면 좋겠어. 네가 아무리 물어봐도 일단 오늘은 대답하지 않을게."

그녀는 한숨을 크게 푹 내쉬더니 평온한 표정으로 남자에게 말했다.

"알겠어, 오빠를 믿을게. 대신 말해야 할 땐 꼭 진실을 얘기해줘."

그는 입을 꼭 다물고 고개를 끄덕였다. 그런 그의 모습에 그녀는 환하게 웃으며 '반드시 약속을 지켜야 한다.'는 말도 덧붙였다. 그렇게 남자와 여자의 행복한 시간은 흘러

갔다.

남자와 여자가 연애를 시작한 지 100일 되던 날. 둘은 초여름 바다를 보러 갔다. 햇살이 쏟아지는 초여름 바다는 옅은 푸른빛을 냈고 고운 모래들은 반짝였다. 여자는 활짝 웃으며 남자에게 물었다.

"오빠, 이곳을 알고 있었어? 내가 예전에 별 보러 왔다는 곳도 이곳이었는데…"

이 바다는 남자가 가자고 해서 온 곳이었다. 한적한 시골의 바다라 아는 사람이 별로 없는 장소였다. 그래서 여자는 이곳을 알고 있던 남자가 너무나 신기했다. 남자는 여자의 물음에 씁쓸한 미소를 띠고 답했다.

"내가 정말 좋아하는 곳이야… 혼자서 많이 오고 그랬는데… 너랑 같이 오니깐, 확실히 전과는 다른 느낌이야. 기분이 이상해."

그녀는 그의 손을 살며시 잡았다. 남자는 다소 몸이 경직되는가 싶더니 그녀의 부드러운 입술에 입을 맞췄다. 그녀는 눈이 휘둥그레졌다가 떨리는 가슴을 진정시키며 살포시 눈을 감았다. 초여름 바닷바람과 남자의 입술에 모든 걸 맡긴 그녀는 쿵쾅거리는 심장 소리를 주체하지 못했다. 여자가 행복한 상상 속에서 남자를 그릴 때, 그는 그녀와 맞췄던 입술을 천천히 떼며 그녀에게 물었다.

"아직도… 기억나지 않는 거야?"

여자는 홍조를 띤 순진무구한 얼굴로 남자에게 답했다.

"뭐가?"

그러자 남자는 금방이라도 울 것 같은 표정으로 말했다.

"아니야…"

그녀는 그런 그의 반응에 어리둥절해 하다가 갑자기 뭔가 생각났는지 가방을 뒤적였다.

"잠깐만~"

남자는 그런 그녀를 보다가 울음을 터트리며 말했다.

"알아… 너 우리가 진지하게 만난 날부터 일기를 썼지? 지금, 너 나한테 그거 주려는 거잖아… 다 안다고…"

여자는 소스라치게 놀라며 남자에게 물었다.

"어떻게… 알았어?"

남자는 모래사장에 털썩 주저앉아버리며 계속해서 미안하다는 말을 되뇌었다. 그녀는 가끔 남자가 보이던 이상한 행동들과 지금 이 모습이 분명 관련 있을 거로 생각했다.

"도대체 오빠가 나한테 숨기는 비밀이 뭐야? 오늘은 숨기지 말고 전부 말해줘! 제발…"

남자는 흐르는 눈물을 억지로 막으며 여자가 잘 들을 수 있도록 최대한 차분한 목소리로 말했다.

"우리, 이 바다에 처음 오지 않았어… 5년 전에도 여기에 자주 왔었어."

여자는 남자의 믿을 수 없는 말에 화가 났다. 그래서 남자에게 또 어물쩍 넘어가려는 거냐며 미친 듯이 화를 냈다. 그러나 남자는 일관된 태도로 말을 이어갔다.

"우린… 약혼도 했었단 말이야. 네가 기억하지 못하는 거야. 어디서부터 이야기할지 모르겠지만… 우선 이걸 봐."

그가 그녀에게 보여준 것은 정말 놀라운 것이었다. 그녀와 남자가 이 바다에서 5년 전에 같이 찍었던 사진과 웬 일기장이었다. 일기장에 내용은 그녀가 주려는 일기장과 달랐지만, 글씨체와 문체가 매우 흡사한 정도를 넘어서 완벽하게 일치했다. 그녀는 떨리는 손을 주체하지 못하고 남자에게 주려던 일기장을 모래사장에 떨어트렸다.

"너는 기억장애가 있어. 나 때문에… 나 때문에 '심각한 트라우마'가 생겨버리는 바람에 말이야…"

어느 정도의 증거는 있지만, 그녀는 믿기 힘든 이야기를 받아들일 수 없었다. 그녀는 어안이 벙벙해져선 '그게 무슨 소리야.'라는 말만 되뇌다가 남자에게 물었다.

"말도 안 돼… 내가 무슨 기억장애가 있다는 거야? 그런 거 없어… 그래, 있다고 생각할게. 그러면 도대체 무슨 장애야? 오빠 때문에 생긴 심각한 트라우마는 뭔데?…"

남자는 눈물을 머금고 온몸을 떨었다. 아름다웠던 바다가 마치 성난 태풍을 만난 것처럼 심하게 요동치는 것 같더니, 아무렇지 않게 파도가 잔잔히 부서질 때 그는 말했다.

"지금으로부터 4년 전. 우리는 결혼을 약속했지. 내가 너에게 청혼한 곳도 이 바다였어. 그런데 우리가 약혼한 이후, 얼마 안 돼서… 네가 다른 남자와…"

남자는 심하게 몸을 떨었다. 더는 말을 할 수 없을 것처럼 보였지만, 남자는 입술을 피가 날 정도로 깨문 다음 다시 말했다.

"네가 호텔에서 다른 남자와 나오는 걸 우연히 목격하게 됐어. 순간 너무 화가 나서 아무것도 생각할 수 없었어. 그래서 나도 모르게 널… 손찌검을 했어. 그뿐만이 아니야… 너를 믿을 수 없다며 심한 말도 했지. '걸레 같은 년'이라고… 너는 오해라고 계속해서 말했지만, 난 네 말을 듣지도 믿지도 않았어. 난 일방적으로 너에게 파혼을 요구했지… 그렇게 4년 전에 우린 파혼했어. 그런데…"

남자는 눈물을 참지 못하고 흐느꼈다. 여자는 조용히 남자의 말을 경청하다가 남자를 꼭 안아주었다. 따뜻한 온기가 서로에게 닿자, 마치 마음이 오가며 서로가 말하듯이 조용하고 아름다워 보였다. 파도가 잔잔히 부서지며 정적을 깰 때, 남자는 하염없이 흐르는 눈물을 닦으며 말을 이어갔다.

"파혼한 이후에 너와 우연히 마주친 적이 있어. 그런데 네가 날 전혀 기억하지 못하는 것으로 보였지… 확실히 그건, '연기'도 아니고 진짜였어. 그래서 정신과 의사에게 물어봤지. 그랬는데… 나한테 이렇게 말했어. '아마도 손찌검당한 충격보다 파혼을 당한 충격이 더 심한 것 같다.'고… '나와 헤어진 사실이 너무나도 감당하기 힘든 아픔이어서 더 큰 정신적 외상으로부터 보호하기 위해, 너 자신이 나란 사람을 기억에서 지운 것 같다.'고… 일종의 기억장애라고 말이야… 내가 널 믿지 못해서… 나 때문에…"

"그때…"

따뜻하게 안아주던 여자는 남자의 말을 막았다. 남자가 괴로워하며 흐느끼는 모습이 너무나 처절했기 때문이었다. 그녀는 충분히 그가 왜 그랬었는지 아는 듯했다. 그녀는 남자를 충분히 이해하는 것 같았다.

"오빠, 그럼 이제 말해줘. 그때 왜, 내 첫인상이 별로 좋지 못했다고 말했는지…"

남자는 마지막 눈물을 흘리며 옅은 미소와 함께 추억을 회상했다. 마음이 따뜻해짐을 느끼며 그녀에게 말했다.

"사실 널 너무나 보고 싶었어. 네가 나를 기억 속에서 지웠어도 난 널 단 한 번도 잊은 적이 없으니까… 너무나 그리웠어. 너는 기억하지 못하겠지만, 우리가 이 바다를 '우리의 아지트'라고 말하기 전부터 지금까지… 계속 널 사랑했어. 하지만 더는 그리워할 수 없었어. 내가 너무 힘들었기 때문이야… 죄책감도 그리움도 너와 함께했던 추억들까지도 전부,… 고통이었으니까. 그래서 이 바다에 내 미련과 후회, 사랑까지도 전부 남기고 돌아섰었지… 하, 이런 결정을 내리기까지 적지 않은 시간을 사용했는데…"

남자는 허탈하다는 듯이 피식 웃었다. 그리고 그녀를 보았다. 여자를 본 남자의 눈은 빛이 났다.

"너를 잊기 위한 맞선에서 네가 나타나 버렸어… 다신

너를 떠올리지도, 그리워하지도 않기로 했는데… 네가 내 앞에 나타난 거야. 그래도, 꿈에 그리던 네가 내 앞에 있어서 난 너무나 좋았어. 하지만 여전히 나를 기억하지 못하는 너를 보니까… 너에 대한 인상이 좋을 수 없었어. 정말 이기적이지만…"

남자는 하늘을 올려다보았다. 초여름 바다의 하늘은 원망스러울 정도로 남자의 마음과 다르게 파랬다. 하지만 남자는 따뜻한 햇볕을 가슴에 품으며 말했다.

"너와 단 하루만이라도 다시 즐겁게 보낼 수 있다면 소원이 없겠다고 생각했어… 물론 맞선에서 다시 널 마주친 순간은 당황스러웠지. 하지만 조금 시간이 지나니깐, 이런 생각이 들었어. '나의 간절한 소원이 이루어진 걸까?'라는 정말 이상한 생각.… 그래도 너와 마지막으로 즐거운 시간을 함께한다면 정말 후회가 없을 것 같았지."

여자는 살랑거리는 목소리로 남자에게 물었다.

"그럼 왜,… 그때 주말에 만나자고 문자를 보낸 거야?"

"후회는 없었지만 아쉬움이 남아버렸거든… 그래도 난 다시 마음을 가다듬고 널 만나지 않으려 했어. 그런데 그때 너와 문자를 주고받으면서 생각나 버렸어. 너와 내가 예전에 주고받았던 문자들이…"

"…"

남자와 여자는 깊은 바닷속에 잠긴 듯이 조용했다. 서로의 숨소리조차 들리지 않는 둘의 정적은 오랜 시간 동안

깨질 줄 몰랐다. 하지만 노을이 저가는 바다에서 그녀가 그의 손을 잡으며 정적을 깨뜨렸다.

"오빠, 저번에 내가 놀이터에서 말했던 시골의 별 이야기,… 기억나? 그 이야기를 들었을 때, 오빠의 기분은 어땠어?"

"솔직히 그날이 너와의 시간을 마지막으로 생각했던 날이었어. 그날은 아쉬움도 남기지 않으려고 너와 놀이터에서 캔맥주를 마신 날이었지. 그런데 네가 나를 기억하지 못해도 우리가 자주 봤던 별은 기억했지… 너의 기억 속에 나란 사람은 없지만, 우리의 추억은 있었어."

남자는 입술을 꽉 깨물고 아무 말도 하지 않았다. 여자도 그런 그를 기다리듯이 아무 말도 하지 않았다. 하지만 바닷가는 잔잔한 파도를 치며 그들에게 소리를 들려주고 있었다. 그러나 밤하늘에서 무수한 별이 보이자 남자는 입을 열었다.

"역시 다 들어도 기억나지 않는 거야?"

여자는 고개를 끄덕였다. 서로 꼭 붙어 앉아서 밤하늘에 떠 있는 별을 봤던 기억은 남자만 가지고 있지만, 그건 아무래도 상관없는 듯했다.

"난 혹시나 네가 기억이 돌아올 수 있을까 해서 두려워도 이 바다에 왔어. 만약 기억이 돌아오면 너의 판단에 전부를 맡길 생각이었지… 하지만 너의 기억은 돌아오지 않은 듯하네…"

"오빠… 난 괜찮아. 내가 비록 과거의 오빠를 기억하지 못해도… 내가 기억을 지웠듯이 오빠도 과거의 나를 잊어 줘. 그냥 현재의 나를 지금처럼 사랑해줘."

남자는 그녀를 한참 동안 바라봤다. 그는 밤바람에 살랑 거리는 그녀의 머릿결을 어루만지며 행복한 표정을 지었 다. 얼마 후 잠들어버린 그녀에게 자신의 윗옷을 덮어주며 남자는 속삭였다.

"과거의 너를 잊는 건 어려울 것 같아. 과거의 넌, 나에 게 사랑을 알려준 '첫사랑'이니까… 대신, 지금의 널 더 애 틋하고 각별한 나의 '2번째 사랑'이라고 생각할게."

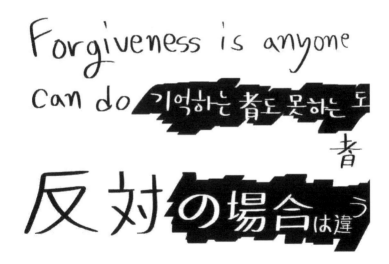

단단한 투구를 쓴 병사들

전쟁으로 세상이 피로 물들었던 시대. 사람들은 살아남기 위해 단단한 투구를 만들었다. 하지만 오히려 그 단단한 투구가 그들을 위험하게 만들었다.

단단한 투구는 적의 칼날로부터 보호하기에 좋았지만, 치명적인 단점이 존재했다. 너무나 두꺼워서 잘 들리지 않는다는 것이다.

전쟁에 승리하기 위해 전열을 가다듬거나 유지하는 것은 매우 중요한일임이 당연하다. 그러나 투구가 너무나 두꺼워서 지휘관의 명령이 들리지 않았다. 그래서 적절할 때, 기본적인 전열을 가다듬거나 유지하는 것이 불가능했다.

더구나 후퇴나 전진 명령도 듣지 못하여 많은 병사가 죽었다.

또 한 가지 단점은 투구가 너무 두꺼운 바람에 시야도 좋지 못했다는 것이다. 병사들의 시야엔 '눈앞에 적'만 보였고 함께 싸우는 아군들은 보이지 않았다. 애석하게도 단단한 투구를 쓴 병사들은 전장에서 적과 아군이 얼마나 있는지조차 잘 알 수 없었다.

이런 상황을 타개할 방법이 어떤 게 있을지 한 사람은 생각해보았다. 그 사람은 오랜 고민 끝에 병사들에게 말했다.

"자신이 단단한 투구를 썼다는 것을 절대 잊지 마세요."

그가 말한 해결책은 그저 자신이 너무나도 단단한 투구를 썼다는 사실을 항상 상기시키는 것이었다. 단순하고 아무 도움도 되지 않을 것 같은 이 방법은 생각보다 큰 효과가 있었다.

목숨이 위험한 전쟁터에서 지휘관의 명령이나 목소리가 잘 들리지 않는 단단한 투구를 썼다는 사실을 잊지 않는 것은, 그들 스스로 청각을 곤두세우게 했다. 그 결과, 단단한 투구를 쓴 병사들이 전혀 들리지 않던 지휘관의 목소리를 조금씩 들을 수 있게 된 것이다. 또 여전히 좁은 시야지만, 고개를 자주 돌림으로서 적과 아군을 조금씩 파악하기 시작했다.

믿어지지 않지만, 쓸데없이 두껍다고 생각되던 투구를

벗지 않고 효과적으로 사용할 수 있는 방법은 '잊지 않고
알고 있는 것'이었다.

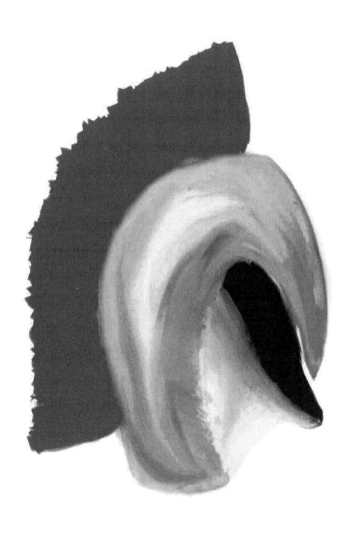

우리가
알고 있는
당연한
이야기

작가의 말

안녕하세요? 송민규입니다. 작가의 말에서 정식으로 인사 드려보네요. 우선 부족한 제 글을 읽어주셔서 진심으로 감사하다는 말을 전합니다. 작가의 말은 저와 여러분들의 편의를 위해 'Q&A' 형식으로 정리하여 쓰도록 하겠습니다.

Q: 이 책을 출판하게 된 계기는?
A: 예전부터 죽기 전에 반드시 꼭 책 3권은 출판해야겠다고 생각했습니다. 일종에 '버킷리스트'인 셈이죠. 그리고 제 '꿈'이 웃기게 들릴 수 있으나 많은 사람에게 인정받는 작가가 되는 것입니다. 인정받는다는 의미가 실력도 실력이겠지만 솔직히 전 다른 의미로도 꿈꾸고 있습니다. 예를 들면 '무모한 도전에 빠진 작가'라던가 '가망이 없어도 포기하지 않고 도전하는 작가'로 말이죠. 그래서 실력은 없지만, 과감히 도전해봤습니다. 하하…

Q: 이 책을 통해서 전하고 싶은 이야기는?
A: 책 앞쪽을 보시면 제가 작가의 말은 꼭 좀 읽어달라고 간곡한 부탁을 적어뒀습니다만… 제가 부탁해도 안

읽으시는 분이 많겠죠? 그래서 원래 작가의 말을 통해서 전하려고 했던 이야기를 마지막 이야기(단단한 투구를 쓴 병사들)로 대신했습니다. 제가 실력이 부족해서 여러분께 잘 전해졌을지 모르지만, 잘 전해졌길 바랍니다! 다시 한 번 말씀드리지만, 이 책을 통해서 전하고 싶은 이야기는 '단단한 투구를 쓴 병사들'입니다.

Q: 책을 내기까지 힘들었던 점은?

A: 후… 정말 하나같이 다 힘들었습니다. 우선 가장 힘들었던 작업을 뽑자면 놀랍게도 '그림'입니다. 제 그림들을 보시면 알겠지만, 제가 생각해도 정말 형편없습니다. 또 여러분들이 충격을 받을만한 이야기를 하자면, '바윗덩어리' 이야기에 첫 번째로 들어간 삽화가 제 모든 기를 집중하여 최선을 다한 그림입니다. 진심으로요… 솔직히 그 그림을 그리고 나서부터 의욕을 잃었습니다. '내가 그림 작가가 될 것도 아닌데 뭘…' 이런 생각을 해버리고 나머지 그림들은 막 그렸습니다. 막 그린 그림 중에서 그나마 신경 쓴 그림은 표지의 '투구 그림'입니다. 참고로 그림은 핸드폰으로 그렸습니다. 참고로 전 '왼손잡이'입니다. 글을 쓸 때 힘들었던 점도 굳이 하나 뽑자면… 뭐, 실력이 미천하여 다 힘들었지만, 과거의 썼던 글들을 다시 각색했을 때입니다. 과거의 썼던 글을 다시 각색하다 보면 욕심이 많아져서 기존에 없던 '첨가물'을 넣게 되더군요.

그런데 그 첨가물들이 하나둘 모이면서 제가 생각했던 결말을 바꿔버렸습니다. 가끔 이야기가 산으로 가기도 하고… 하, 주체할 수 욕심과 미천한 실력 때문에 이번 작업을 통해서 제대로 '나비효과' 체험한 것 같습니다.

조금만 쓰려 했는데, 쓰다 보니 엄청 길어지네요… 저 자신도 몰랐던 불만이 많았나 봅니다. 하지만 여러분, 실제로 저는 '불평하지 않는 한량'입니다. 좋게 봐주세요!

Q: 책값을 할인하지 않은 이유는?

A: 간단하게 말하면, 제 마음이 책값을 높게 매기고 싶지도 않고 낮게 매기고 싶지도 않습니다.

혹시라도 제 책을 읽고 싶었지만, 가격이 다소 부담스러워서 못 읽은 분이 계신다면 정말 감사하고 죄송합니다. 다시 말씀드리지만 저는 절대 가격을 낮추고 싶지 않습니다. 제 책이 이만한 값어치를 할 것이라는 자만심이나 자부심은 없지만, 제가 책값을 낮추면 제 책의 값어치를 스스로 깎는 거라고 생각되어서 낮추려다가도 도저히 낮출 수가 없네요… 책을 구매해 주셨는데 돈이 아깝다고 생각하셨다면, 진심으로 죄송합니다. 대신 다음엔 꼭! 더 좋은 작품으로 보답하겠습니다.

Q: '실화'를 바탕으로 쓰거나, 각색한 이야기도 있나요?

A: 있습니다. 하지만 어떤 이야기인지는 말하지 않겠습니

다. 궁금하신 분께 죄송하지만, 말하지 않는 이유도 말하지 않겠습니다.

Q: 길 가다 마주쳐서 아는 척하면 사인(Sign) 해주나요?
A: 철천지원수가 나타나도 사인하겠습니다!

우스꽝스러운 'Q&A'를 마지막으로 작가의 말을 마칩니다. 다시 한 번 진심으로 독자 여러분, 감사합니다.

저 자 **송민규**

부록

민규그램

Sns,
열려있는

충격실화

뭐, 어때?

돌멩이

어릴 적 바닷가에서
보았던 예쁜 돌멩이.

그때, 그 돌멩이를
정말 갖고 싶었는데.
지금은 어떻게 생겼는지
기억도 나지 않아요.

혹시 나란 사람도
그런 돌멩이일까요?

맛없는 음식점

딱히 추억을 찾아가는 것도 아닌데…

너였기에 좋았던 맛없는 음식점,
괜스레 다시 그곳으로 떠나는 발걸음.

습관일까?, 집착일까?

3분 후...

수면제로
팔면
대박
나겠다.

-끝-

이 책이 세상에 존재할 수 있게 도움을 준

SPECIAL THANKS TO

'주은혜'

'윤희재'

'조태상'

'부크크'

그리고 구입하신 **'여러분.'**